D0115463

500 fautes d'orthographe
à ne plus commettre

Les Dicos d'or
de Bernard Pivot

500 fautes d'orthographe à ne plus commettre

Bernard Laygues

Albin Michel

Préface

Un guide du savoir-écrire

évitez de dire... Dites plutôt..., de Bernard Laygues, est l'un des grands succès de la collection des « Dicos d'or ». Je n'en suis pas étonné parce que cet ouvrage, simple, clair et pratique, apporte les bonnes réponses à ceux, très nombreux, qui craignent de choquer les oreilles de leurs interlocuteurs par des fautes d'accord, d'usage, de sens, de grammaire, etc. Ça s'entend et ça la fiche mal.

Mais, à côté de ce guide du savoir-dire, manquait un guide du savoir-écrire. Après les services rendus à l'oreille, l'œil réclamait les siens. *500 fautes d'orthographe à ne plus commettre*, du même Bernard Laygues, remplit cette nouvelle mission de service public. Avec une égale exigence d'exactitude, de logique, avec un aussi grand souci d'éclairer, d'expliquer, de corriger, de redresser. Avec le même sentiment d'être utile pour tous les francophones – je pense, entre autres, aux Belges, aux Suisses et aux Québécois, si soucieux de parler et d'écrire juste – qui savent bien que notre langue est remplie de pièges et qui ont l'ambition d'y tomber le moins souvent possible.

Hormis les scribes misanthropes, nous parlons plus que nous n'écrivons. Mathématiquement, de notre bouche sortent plus de fautes que nous n'en commettons avec un stylo ou sur l'ordinateur. Sauf que celles-ci, étalées sur le papier, exposées aux regards, sont plus durables que celles-là, jetées au vent, vite oubliées. C'est pourquoi un ouvrage commode, qui nous permet d'éviter les principales erreurs que Bernard Laygues a collectées, pendant toutes ses années de correcteur professionnel, est une aubaine. Du *pain béni* – ou *bénit* ? Observons la différence entre les deux Laygues : je puis parler de *pain béni(t)* sans savoir l'écrire. Mais si je dois prendre la plume...

Évitez d'écrire... Écrivez plutôt est sans limites. Dans un recueil comme celui-ci on pourrait mettre la quasi-totalité des mots. Pour un débutant, chacun présente une difficulté orthographique. Le livre s'adresse non pas aux personnes qui apprennent le français, mais à celles qui veulent améliorer, voire perfectionner, leur usage de la langue. Reste que les fautes relevées par Bernard Laygues sont de toute nature, les unes étant grossières et inexcusables – comme *orthographe* au masculin, *ignarde* à la place d'*ignare* –, les autres étant d'autant plus excusables qu'elles relèvent d'un français rare et subtil – comme *aucuns frais ne sont à prévoir* – ou alambiqué et piégé – comme *un ordre exprès* et non *express*.

Bernard Laygues est un homme délicat qui comprend très bien que nous ne puissions pas tous posséder – moi, le premier – ses connaissances. C'est pourquoi il nc fulmine pas, il ne tempête pas, il ne jette pas l'*opprobre* (avec deux r) sur nos petites têtes d'oiseaux. Il nous conseille simplement d'*éviter* d'arracher à notre langue des plaintes, des cris de douleur, des aïe aïe aïe ! et des ouille ! lorsque nous la couchons sur le papier.

Oui, décidément, ce « Dico d'or » est du *pain bénit*.

Bernard Pivot

Avertissement

Comme tous les « cas » répertoriés dans les pages qui suivent ne sont évidemment pas « du même tonneau », nous avons jugé utile d'opérer une distinction entre les graphies qui se révèlent fautives dans les emplois proposés, mais seraient correctes dans d'autres contextes (en ce cas, nous avons souligné l'erreur) et celles qui sont toujours des fautes (alors, nous les avons rayées). Exemple : *Des étoffes vendues ch*<u>*ères*</u>. Voilà, certes, de quoi réagir, car c'est l'adverbe **cher** qui convient, mais la forme adjectivale serait correcte dans *Elles sont chères*. En revanche, avec *Une situation* ~~cahotique~~ – au lieu de *chaotique* –, on se trouve (sous l'influence, bien sûr, de *cahoteux/cahotant*) confronté à une graphie sans existence licite. Et puis, entre rigidités historiques et nuances signifiantes, nous avons aussi appelé l'attention du lecteur sur des choix d'écriture selon le sens ou en raison de tolérances : *Elles ont l'air ravi* ou *ravies ?...* *Yaourt, yogourt* ou *yoghourt ?*

Bonne lecture... à tête reposée, bien sûr.

B. L.

Évitez d'écrire : Réclamés à cor<u>ps</u> et à cri<u>s</u>..
Écrivez plutôt : Réclamès **a cor et à cri**...
Le corps du délit, ici, serait d'avoir oublié que cette
locution, figée au singulier, nous vient de la chasse
à courre. Elle renvoie à l'instrument à vent qu'est le
cor – qui s'écrit comme le « **cor** » du pied – et **au
cri** permanent des chiens à la course.

Évitez d'écrire : C'est à co<u>up</u> d'efforts...
Écrivez plutôt : C'est **à coups** d'efforts...
Cette indication d'une répétition implique le pluriel,
que le complément déterminatif soit au singulier ou
au pluriel. [« A-t-il tué la vipère à coup**s** de pierres
ou à coup**s** de bâton ? »]

Évitez d'écrire : À cou<u>rs</u> de temps, on a coupé cou<u>rs</u> au débat.

Écrivez plutôt : À **court** de temps, on a coupé **court** au débat.

Être **à court** de quelque chose, c'est se trouver court (n'avoir pas assez de cette chose...). Et **couper court**, c'est interrompre au plus vite, ou réduire au minimum. Il s'agit là d'adverbes. Le nom masculin **cours** (d'où la locution adjective **en cours**) vient, lui, du latin *cursus*, et a à voir avec « course », « courant », « circulation », « suite ». [« En cours de route et en coupant au plus court, par le cours de Vincennes, nous fûmes, après l'effondrement des cours, pris de court, ce qui fit tourner court notre escapade au long cours... »] Attention, bien sûr, au **court** de tennis, et aussi à **courre**, ancien verbe, qui a précédé **courir** (tous deux du latin *currere*), employé seulement dans **chasse à courre** (avec chiens courants).

Évitez d'écrire : La meilleure des ~~accoustiques~~...

Écrivez plutôt : La meilleure des **acoustiques**...

La plupart des mots commençant par **ac-** prennent deux **c** : de **accabler** à **accuser**, en passant par **accalmie**, **accident**, **accommodation** (attention aux deux **m** de **commode**, et donc à **raccommodage**), **accordéon**, **accouchement**, **accoutumer** ou **accueil**. Exceptions, avec un seul **c** : **acabit**, **acacia**, **académie**, **acajou**, acariâtre, acarien, acompte, aconit, acouphène, acoustique, âcre, acrobate, acropole, acrylique...

Évitez d'écrire : On acqui<u>ère</u> cela maintenant.
Écrivez plutôt : On **acquiert** cela maintenant.
Acquérir, comme **conquérir,** est un verbe du troisième groupe, et non du premier. Au présent de l'indicatif, donc : « j'acquiers, tu acquiers, il acquiert, nous acquérons, vous acquérez, ils acquièrent. » C'est au présent du subjonctif que l'on obtient : « que j'acquièrc, que tu acquières, qu'il acquière, que nous acquérions, que vous acquériez, qu'ils acquièrent. »

Évitez d'écrire : C'est à dess<u>in</u> que cela a été fait.
Écrivez plutôt : C'est **à dessein** que cela a été fait.
Jusqu'au XVIIIᵉ siècle, ce **dessein**-là (d'après l'italien *disegnare* → « signe ») n'était qu'une variante de **dessin** (d'après l'italien *disegno*). Aujourd'hui, la confusion ferait mauvais effet.

Évitez d'écrire : Adieu va !
Écrivez plutôt : **À Dieu vat !**
Cette expression figée, en trois mots, pur produit de la tradition maritime – pour « À Dieu il va » –, s'accommode encore bien du **t** traditionnel, qui d'ailleurs se prononce. Mais *le Petit Robert* (peut-être trop à l'écoute de l'usage « parisien ») a cru devoir

l'admettre avec **va**, puis deux traits d'union, qui semblent d'ailleurs fautifs à plus d'un lexicographe : « À-Dieu-va(t) » !

Évitez d'écrire : Un aérogare.
Écrivez plutôt : **Une aérogare**.
Le préfixe **aéro-** ne peut déterminer le genre de ce nom : il indique seulement que la gare en question (accueil des passagers) est relative au trafic aérien. Attention, par ailleurs, à a**éro**plane / a**réo**page (masculins !)

Évitez d'écrire : Ce ne sont qu'afabulations.
Écrivez plutôt : Ce ne sont qu'**affabulations**.
Les mots commençant par **af-** prennent deux **f**, comme **affectation**, **affinage**, **affliction**, **affres**, etc. Exceptions notables : **aficionado**, **Afrique**, **Afrikaner**..

Évitez d'écrire : Pour cette remise à flots, le
champagne coulera à flot.
Écrivez plutôt : Pour cette remise **à flot**, le
champagne coulera **à flots**.
Quand cette locution signifie « qui flotte », le singulier lui convient. [« Un navire mis à flot... »] Elle s'emploie le plus souvent au figuré. [« Une entreprise remise à flot... » ; « Être enfin à flot... » (ne plus être

submergé par les difficultés, surtout financières).] En revanche, le pluriel s'impose quand elle signifie **abondamment**.

Évitez d'écrire : Halte aux ~~aggressions~~ !
Écrivez plutôt : Halte aux **agressions** !
Les mots commençant pas **ag-** – de **agaçant** à **aguicheur**, en passant par **agrafe** et **agrégé** – prennent en général un seul **g**. Exceptions : **aggiornamento, agglomérer, agglutiner, aggraver**... En anglais, *aggression*.

Évitez d'écrire : Retrouvons-nous à l'accoutu<u>mé</u>.
Écrivez plutôt : Retrouvons-nous **à l'accoutumée**.
Si l'on peut être **accoutumé** à quelqu'un ou à quelque chose, on reproduit une action **à l'accoutumée**, c'est-à-dire « comme de coutume, comme d'habitude ». Mais on va gagner à l'arrach**é**. A moins que ce ne soit à la dérob**ée**...

Évitez d'écrire : À l'~~affut~~ sont les ~~fûtés~~.
Écrivez plutôt : **À l'affût** sont les **futés**.
Affût, affûter (du latin *fustis*, « tronc ») [tout comme le **fût** d'un arbre, un **fût** en chêne (pour le vin)]. Mais **futaie** et **futaille**. L'adjectif **futé**, lui, vient du moyen français *se futer*, « échapper au chasseur ».

Évitez d'écrire : <u>Ha</u> ! si c'était cela !
Écrivez plutôt : **Ah** ! si c'était cela !
Ha ! ne s'emploie plus guère que dans « Ha ! ha ! »
(registre du rire ou, carrément, de la moquerie). C'est
l'interjection **ah** ! qui convient pour marquer un sentiment subit, un étonnement ou un état d'esprit.
[« Ah ! quel dépit, après qu'il nous eut lancé son "ha !
ha !" sarcastique. »]

Évitez d'écrire : On recherche des ai<u>de</u>-soignantes.
Écrivez plutôt : On recherche des **aides-soignantes**.
Comme premier élément d'un nom composé au pluriel, **aide**, nom commun représentant des personnes
(des aides), prend un **s**. Mais attention à **aide-
mémoire** (« pour aider la mémoire »), nom invariable
où **aide** est une forme verbale. [« Des aide-mémoire
pour aides-éducateurs et aides-moniteurs... »]

Évitez d'écrire : Une sonorité ~~aigüe~~...
Écrivez plutôt : Une sonorité **aiguë**...
Au masculin, **aigu**(s) est sans tréma. Au féminin,
celui-ci s'impose sur le **e** pour permettre le son [u],
que ne donnerait pas *-gue* [g]. Même raisonnement
pour **contiguë** ou **exiguë** (**exiguïté**). Attention ! pas
de tréma inutile à la suite d'un **é**. « S**é**isme chez les
europ**é**istes » ; la « fluoresc**é**ine ».

Écrivez (c'est selon) : Elles ont l'**air** ravi – *ou* rav**ies**. La nuance se situe dans la pensée de celui (celle) qui écrit : affichent-elles un air ravi, ou bien ont-elles l'air d'être ravies ?

Évitez d'écrire : Se suivre à la queue ~~leleue~~...
Écrivez plutôt : Se suivre **à la queue leu leu**...
La répétition de **leu** (forme ancienne de **loup**) évoque le déplacement des loups, censés marcher l'un derrière l'autre. Locutions synonymiques : **à la file, en file indienne.**

Évitez d'écrire : Tous se sont exprimés à l'env**ie**.
Écrivez plutôt : Tous se sont exprimés **à l'envi.**
Dans **envi**, il faut voir **rivalité, défi**, et non **désir** (**envie**). Cette vieille locution signifie « à qui mieux mieux », « en cherchant à s'imposer ».

Évitez d'écrire : C<u>et</u> algèbre...
Écrivez plutôt : C**ette algèbre**...
Du latin médiéval *algebra*, lui-même de l'arabe *al-jabr*.

Évitez d'écrire : À l'~~insue~~ de ces dames...
Écrivez plutôt : **À l'insu** de ces dames...
Insu « qui n'est pas **su** », participe passé de **savoir**, toujours au masculin (qui rend le neutre) dans cette

locution. « Au su et à l'insu de tout le monde » (Jules Romains). C'est souvent l'effet d'attraction de **issue** qui entraîne la faute.

Évitez d'écrire : Cet~~te~~ amiante...
Écrivez plutôt : Cet **amiante**...
Il faut résister pour ne pas succomber à la tendance au féminin.

Écrivez (c'est selon) : De gran**ds** – *ou* gran**des** –
   amours...
Au singulier, **amour** est masculin. L'emploi du féminin, « une belle amour... », ne conviendrait qu'à un effet d'ironie ou d'archaïsme. Au pluriel, le mot fut longtemps féminin. Aujourd'hui, il ne le demeure que dans des lettres (d'amour...) au style soutenu ou dans la langue littéraire. « Le vert paradis des amours enfantines » (Charles Baudelaire).

Évitez d'écrire : Il s'agit de ne pas ~~annoner~~.
Écrivez plutôt : Il s'agit de ne pas **ânonner**.
Dans **ânonner**, il y a **âne/ânon**, et les deux **n** de la fin sont conformes à la terminaison de la plupart des verbes en ***-onner***. (Voir, plus loin, **déton[n]ant**.)

Évitez d'écrire : U<u>ne</u> antidote.
Écrivez plutôt : U<u>n</u> **antidote**.
C'est **un** antipoison.

Évitez d'écrire : U<u>ne</u> antipode.
Écrivez plutôt : U<u>n</u> **antipode**.
Ici, il y a **pied**, du grec *podos*.

Évitez d'écrire : U<u>ne</u> antre.
Écrivez plutôt : U<u>n</u> **antre**.
Celui du lion, ou encore, au figuré, celui où l'on aime à se réfugier.

Évitez d'écrire : U<u>ne</u> aphte.
Écrivez plutôt : U<u>n</u> **aphte**.
Ce mot, d'origine grecque, qui désigne le plus généralement une petite ulcération de la muqueuse buccale, était féminin en latin : *aphta*. Une preuve, entre beaucoup d'autres exemples, que le genre des noms ne s'est pas forcément perpétué de cette langue à la nôtre.

Évitez d'écrire : U<u>ne</u> apogée.
Écrivez plutôt : U<u>n</u> **apogée**.
Masculin comme **hypogée** et **périgée**.

Évitez d'écrire : U<u>n</u> apostrophe.
Écrivez plutôt : U<u>ne</u> **apostrophe**.

Le féminin pour le signe d'élision comme pour l'interpellation.

Évitez d'écrire : Ces dames ont dévoilé leurs appâts.
Écrivez plutôt : Ces dames ont dévoilé leurs **appas**.
En fait, **appas** n'est qu'un ancien pluriel du mot **appât** (de **appâter**) : « ce qui est destiné à attirer dans un piège ». Pas étonnant, donc, qu'à propos des attraits physiques des femmes, spécialement des seins, l'usage ait préféré retenir une orthographe distanciée de cet appât-là. On écrit aussi : « les appas de la gloire... » Par ailleurs, pour attirer les oiseaux dans des filets, on se sert d'**appeaux,** mais ce mot-là vient d'**appel.**

Évitez d'écrire : Les effets de l'~~appesanteur~~...
Écrivez plutôt : Les effets de l'**apesanteur**...
La plupart des mots commençant par *ap-* prennent deux **p**. Ainsi, de **apparat** à **appuyer**, en passant par **applaudir, apponter** ou **approximatif.** Des exceptions, cependant : **apache, apaiser, aparté, apercevoir, apéritif, apesanteur, apeurer, apiculture, apitoyer, aplanir, aplatir, apologie, apostrophe, apôtre, âpre**... Avec un seul **p** aussi, et deux **l** : **Apollon, Apollinaire.**

Évitez d'écrire : Battus ~~à plat de couture~~...
Écrivez plutôt : Battus **à plate couture**...

À plate couture (« couture plate ») est la forme – désormais au singulier – qui convient à l'expression visant une personne, une armée ou un groupe complètement défait, vaincu. Littéralement, à l'origine, cela renvoyait à quelqu'un qui avait été battu au point que les coutures de ses vêtements en étaient aplaties.

Évitez d'écrire : Qu'~~apprend-t-on~~ ici ?
Écrivez plutôt : Qu'**apprend-on** ici ?
Au présent de l'indicatif, dans la construction avec sujet inversé, la dentale sonore **d** des verbes en **-dre** (**comprendre**, **entendre**, **coudre**, **moudre**, etc.), assourdie et prononcée anormalement, se réalise comme un **t**. Ajouter graphiquement un **t** est donc fautif. Trois exceptions parmi les verbes en **-oudre** : **absoudre**, **dissoudre** et **résoudre**. [« Absout-il ? », « Dissout-on ? », « Résout-elle ? ».] (Voir, plus loin, **résout**.)

Écrivez (c'est selon) : Cet – *ou* cette – **après-midi**...
Ce nom, invariable au pluriel, bien que décrété du masculin voilà belle lurette par l'Académie française, s'affiche toujours licitement au féminin. En fait, on est souvent poussé à choisir son genre en fonction du contenu qu'on lui donne. [« Un après-midi de chien... » ; « Par une douce après-midi... ».] Si l'on veut situer un fait **après midi**, le trait d'union

disparaît : il ne s'agit plus alors d'un nom composé. [« L'événement s'est produit après midi. »]

Évitez d'écrire : « ... après que les poètes <u>aient</u>
   disparu... »
Écrivez plutôt : « ... **après que** les poètes **ont**
   disparu... »

À partir de ce vers de la célèbre chanson de Charles Trenet, voici la règle, on ne peut plus logique, mais tellement ignorée : l'indicatif, qui est le mode de la réalité, du constat, de la certitude, doit venir à la suite de la locution **après que**, puisque l'action énoncée est, a été ou sera réellement accomplie. [« Il fait soleil après qu'il ~~ait~~/**a** plu » ; « On le réclama après qu'il ~~fût~~/**fut** parti » ; « Nous aviserons après que vous vous ~~soyez~~/**serez** déterminés ».] En revanche, c'est le subjonctif, mode du doute, de l'hypothèse, de l'attente, qui s'impose à la suite de **avant que**. [« On les encourage (encouragera) avant qu'ils y ~~iront~~/**aillent** » ; « Tout s'est déroulé avant qu'ils ne ~~sont~~/**soient** arrivés/ Tout se déroula avant qu'ils ne ~~furent~~/**fussent** arrivés ».] Attention donc à la concordance des temps !
Reste l'emploi avec **après que** du conditionnel... Eh bien, il est tout à fait correct, et exclut alors indicatif comme subjonctif. [« Cela pourrait se produire après qu'ils seraient partis... »]

Évitez d'écrire : Refusons les ~~à prioris~~.
Écrivez plutôt : Refusons les ***a priori***.
Ce nom commun, issu de la locution latine **a priori**, a conservé la graphie originelle (sans accent et sans marque du pluriel). Autres locutions (aussi sans accents), qui, elles, n'ont pas donné de substantifs : **a posteriori**, **a contrario**, **a minima**...

Évitez d'écrire : Nous le souhaitons ~~ardamment~~.
Écrivez plutôt : Nous le souhaitons **ardemment**.
On écrit **ardemment** avec un **e**, comme **intelligemment** ou **décemment**, mais **nonchalamment** avec un **a**, comme **couramment** ou **méchamment**. En fait, l'orthographe (avec **e** ou **a**) des adverbes terminés en **-mment** est conforme à celle des adjectifs qualificatifs dont ils dérivent (ardent = ardemment/nonchalant = nonchalamment/violent = violemment/puissant = puissamment, etc.)

Évitez d'écrire : Marche à recul~~on~~ prévue.
Écrivez plutôt : Marche **à reculons** prévue.
On écrit aussi **à croupetons** et **à tâtons**, mais **à l'unisson** (locution dérivée du nom **unisson**).

Évitez d'écrire : Cet~~te~~ argent...
Écrivez plutôt : **Cet argent**...
Non, on ne prend pas « l'argent là où elle est » !

Évitez d'écrire : Du bon argile...
Écrivez plutôt : De la bon**ne argile**...
Aussi féminin que la roche.

Évitez d'écrire : Des ~~ahrres~~ élev<u>és</u>...
Écrivez plutôt : Des **arrhes** élev**ées**...
Du latin *arrha*, « gages », ce nom féminin n'a pas de singulier.

Évitez d'écrire : Vente d'~~artichauds~~ de Bretagne.
Écrivez plutôt : Vente d'**artichauts** de Bretagne.
Un **d** fréquent, mais fautif, sur les ardoises des commerçants en fruits et légumes... Emprunté, nous dit *le Petit Robert*, à l'italien *carcioffo*, lui-même de l'arabe *harsufa*, ce mot s'écrivait jadis « artichault ». (*Cf.* **artichautière**.)

Évitez d'écrire : Veiller à une ~~aseptie~~ rigoureuse.
Écrivez plutôt : Veiller à une **asepsie** rigoureuse.
Du grec *sêptos*, « qui produit la putréfaction », avec le préfixe *a-*, « sans ». Le *tau* (τ) grec s'est transformé en **s**, mais, comme pour les adjectifs dérivés de **catalepsie**, **dyspepsie**, **épilepsie**, on le retrouve dans **aseptique**. Simple histoire de prononciation.

Évitez d'écrire : U~~ne~~ asphalte.
Écrivez plutôt : U**n asphalte**.
Masculin comme **bitume**.

Évitez d'écrire : Les journalistes ~~assailleront~~ le
    ministre.
Écrivez plutôt : Les journalistes **assailliront** le
    ministre.
On retrouve au futur et au conditionnel présent des
verbes réguliers la forme intégrale de leur infinitif.
Le verbe **assaillir**, qui est du 3e groupe, ne peut donc,
à ces temps, donner que « J'**assaillir**ai(ais) ». Comme
accélérer (1er groupe) fait « J'**accélérer**ai (ais) ».
(Voir, plus loin, [nous] **conclurons**.)

Évitez d'écrire : On ~~asseoit~~ ainsi son autorité.
Écrivez plutôt : On **assoit** ainsi son autorité.
Le **e** muet de l'infinitif **asseoir** disparaît dans la
conjugaison. [« Il faut que tu assoies (que vous
assoyez) ce projet, et tu l'assoiras (vous l'assoi-
rez). »] Ce verbe prend une autre forme plus adaptée
au sens propre de « s'asseoir » ou d'« asseoir un
enfant » : « J'**assieds** (Je m'assieds), il **assied**...
J'**asseyais**... J'**assiérai/ais**... Que j'**asseye**, que tu
asseyes... que nous **asseyons** ».
Contrairement à **asseoir, surseoir** – qui n'a qu'une
forme – a conservé jusqu'à aujourd'hui son **e** au futur

simple et au conditionnel présent. [« Je **surseoi-rai(ais)**... »]

Évitez d'écrire : U<u>ne</u> astérisque.
Écrivez plutôt : U**n astérisque**.
Du latin *asteriscus*, « petite étoile », mais c'est *un* signe graphique (masculin).

Évitez d'écrire : Aux barres ~~assymétriques~~...
Écrivez plutôt : Aux barres **asymétriques**...
Les mots formés avec le préfixe **a-**, « sans », devant le radical commençant par **sy-** – retenons aussi **asymptomatique, asynchrone, asyndète, asynergie**... – ne doublent pas le **s**, contrairement à ce qui a toujours lieu entre deux voyelles. Bien sûr, **Assyrie** et **assyriologue**.

Évitez d'écrire : Sans ~~attermoiment~~, poser une at<u>è</u>le.
Écrivez plutôt : Sans **atermoiement**, poser une
        attelle.
L'**attelle** (de contention), contrairement à l'**atèle** (singe de l'Amérique du Sud), oblige à deux **t**, comme une centaine de mots commençant par **at-**, de **attabler** à **attrouper**, en passant par **attention, atterrir, attirer, attitude, attraction, attrait, attribut, attiédir** ou **attorney**... Mais on trouve une quarantaine de mots avec un seul **t**, comme **atelier**,

athéisme, **atrabilaire**, **atroce** ou, justement, **atermoiement**, qui, ci-dessus, contient une seconde faute : l'oubli du **e** après le **i**. Or ce **e** est nécessaire aux noms qui correspondent à des verbes terminés en **-yer** : **atermoiement** (atermoyer), **vouvoiement** (vouvoyer), **étaiement** (étayer), **paiement** (payer)... Mais pas à **plaidoirie** (le verbe, c'est **plaider** ; **plaidoyer** est un nom), ni à **métairie** (qui n'est à rapprocher que d'un nom : **métayer**). Pas plus qu'à **voirie**.

Écrivez (aussi bien) : Foncer **à tout** – *ou* **toute** – **berzingue**...
Dans cette locution adverbiale, attestée en 1935, **berzingue** est en fait une variante de **brindezingue**, « ivre », « un peu fou ».

Évitez d'écrire : Protester à tout bout de cha<u>nt</u>...
Écrivez plutôt : Protester **à tout bout de champ**...
Il faut voir l'origine de cette locution, propre à marquer la répétition d'une action ou d'un comportement, dans les travaux de l'agriculture : chaque fois que l'extrémité du champ est atteinte.

Évitez d'écrire : Auc<u>un</u> frais n'est à prévoir.
Écrivez plutôt : **Aucuns frais** ne **sont** à prévoir.
L'adjectif indéfini **aucun** (« même pas un ») se rencontre évidemment, la plupart du temps, au singulier.

[« Aucune personne ne s'est présentée. »] Mais il prend, logiquement, un **s** s'il se rapporte à un nom toujours au pluriel, comme **frais, dépens, soins** (au sens médical)... [« Aucuns soins n'avaient été dispensés, donc aucuns frais engagés. »] Noter **d'aucuns** (pour « quelques-uns »). [« D'aucuns n'ont pas voulu suivre. »] On écrit aussi : **aucuns travaux** et, par ailleurs, **à grands frais**.

Évitez d'écrire : Aller au diable ~~veau vert~~...
Écrivez plutôt : Aller **au diable Vauvert**...
Allusion à l'ancien château de **Vauvert**, construit par le roi Robert Ier près de Paris, sur le territoire de l'actuelle commune de Gentilly (c'était déjà éloigné pour l'époque), et que l'on disait hanté par le diable. Envoyer quelqu'un au diable Vauvert, c'est encore aujourd'hui « s'en débarrasser en l'expédiant loin, en un endroit inconnu ». Rien à voir avec Vauvert, commune des environs de Nîmes.

Évitez d'écrire : Êtes-vous au faîte de l'actualité ?
Écrivez plutôt : Êtes-vous **au fait** de l'actualité ?
Être au fait de = être averti de, au courant de. À ne pas confondre avec **au faîte** = au sommet. [« Au faîte de la connaissance, il n'est pourtant pas au fait des dernières publications. »]

Évitez d'écrire : On a dit cela au fla<u>nc</u>.
Écrivez plutôt : On a dit cela **au flan**.
C'est du **flan** = c'est de la blague. Ce **flan**-là, dont l'orthographe est identique à celle de la pâtisserie bien connue (du francique *flado*, qui a donné *flaon* au XIIe siècle), semble, lui, d'origine inconnue. À la fin du XVIIe siècle, il signifiait « coup de poing », nous dit *le Petit Robert*. (Voir aussi, plus loin, **tirer au flanc**.)

Évitez d'écrire : Village au<u>x</u> pied<u>s</u> de la colline.
Écrivez plutôt : Village **au pied** de la colline.
Au pied d'une montagne, d'un arbre, d'un mur, d'un immeuble... Par catachrèse, cela signifie, en fait, « à la base ». Au singulier également : « de pied en cap », « de pied ferme », « photo en pied », « balade à pied » (et non « à pieds » : c'est la manière de se déplacer qui est désignée, non les parties du corps). En revanche, **aux pieds** dans « aux pieds de quelqu'un », « de la tête aux pieds », « fouler aux pieds ». Mais **Berthe au grand pied**, la mère de Charlemagne : un seul de ses pieds, dit-on, était trop grand.

Évitez d'écrire : J'avais dit que j'aur<u>ai</u> du retard.
Écrivez plutôt : J'avais dit que j'**aurais** du retard.
Après un temps du passé dans la proposition

principale (ici, « J'avais dit »), on exprime, dans la subordonnée, les actions ou les états à venir non pas avec le futur de l'indicatif, mais en empruntant le conditionnel. [« Pourquoi n'aviez-vous pas dit que vous ~~irez~~/**iriez** ? » ; « Napoléon ne pouvait pas prévoir alors qu'il ~~finira~~/**finirait** à Sainte-Hélène ».] Après le passé composé, il peut arriver que l'indicatif futur convienne. [« J'ai effectivement dit hier, et je confirme aujourd'hui, que j'irai demain. »]

Évitez d'écrire : C'est une erreur, a̲u̲t̲a̲n̲t̲ pour nous !
Écrivez plutôt : C'est une erreur, **au temps** pour
    nous !
La curiosité la plus époustouflante de notre orthographe ! Pourtant, si c'était **autant**, ce serait autant de quoi ? Il y aurait alors comme une nuance de culpabilité, de punition. Or il s'agit seulement – et objectivement –, après qu'on s'est trompé, de « revenir **au temps** », comme on a beaucoup dit dans le langage tant militaire que gymnique. Tout le monde, d'ailleurs, connaît l'expression « En deux temps trois mouvements ».

Évitez d'écrire : U̲n̲ autoroute.
Écrivez plutôt : Une **autoroute**.
Ce nom commun, qui en 1927 a remplacé

autostrade, est composé de **auto**(mobile) et de **route :** deux bonnes raisons pour qu'il soit féminin.

Évitez d'écrire : C'est <u>au</u> dépe<u>nd</u> de vos intérêts.
Écrivez plutôt : C'est **aux dépens** de vos intérêts.
Dans le nom pluriel **dépens,** il faut voir **dépenses** (au sens de **frais** → « au détriment »), et non « dépendre (de) ». [« Être condamné aux dépens... » ; « Apprenez que tout flatteur vit aux dépens de celui qui l'écoute » (La Fontaine).]

Évitez d'écrire : A<u>u</u> term<u>e</u> du règlement et en term<u>e</u> de financement...
Écrivez plutôt : **Aux termes** du règlement et **en termes** de financement...
La locution **au terme de** (singulier) est synonyme de **à la fin de.** Alors que, comme ici, **aux termes de** et **en termes de** équivalent à **selon les termes de**... [« C'est aux termes du protocole qu'on a joué cette musique au terme de la cérémonie... »]

Évitez d'écrire : Tout pourrait partir ~~à veau lau~~.
Écrivez plutôt : Tout pourrait partir **à vau-l'eau.**
L'eau va au **val** (**vau**), en **aval.** D'où le sens concret, vieilli, de « se perdre (dans la vallée) au fil du courant », et le sens figuré, bien actuel, de « se

dégrader », « péricliter ». [« Mes études vont à vau-l'eau... »] Noter le trait d'union.

Évitez d'écrire : Offrez un calendrier de l'Av<u>ant</u>.
Écrivez plutôt : Offrez un calendrier de l'**Avent**.
Du latin *adventus*, « venue », « arrivée », et avec une majuscule, le substantif **Avent** désigne le temps (quatre semaines) qui prépare à Noël, et qui se situe donc **avant** cette grande fête du christianisme.

Évitez d'écrire : Avoir <u>à </u>faire au public...
Écrivez plutôt : **Avoir affaire** au public...
« Avoir **affaire** *(un seul mot)* à... » = se trouver devant une réalité à affronter. « Avoir **à faire** *(deux mots)* quelque chose » = s'acquitter d'une tâche. Ou simplement « avoir **à faire** » = être occupé, avoir du travail. [« Après avoir eu affaire à vos remontrances, nous avons vraiment à faire pour vous satisfaire. »]
Par ailleurs, on écrit **affaires** (au pluriel) dans « chiffre d'affaires », « homme (femme) d'affaires » et « toutes affaires cessantes ».

Évitez d'écrire : Signatures des ~~ayant-droits~~.
Écrivez plutôt : Signatures des **ayants droit**.
Pourquoi, diable, ce nom composé (sans trait d'union) fait-il, comme **ayant cause**, son pluriel avec un **s** au participe présent, alors qu'on attendrait

celui-ci au substantif **droit** ? Parce que jadis les participes présents s'accordaient, et que cette forme est restée figée dans ces termes de la langue juridique. Les **ayants** (ceux qui possèdent) [le] **droit**, [la] **cause**.

Évitez d'écrire : Quoi que nous ~~ayions~~ – et qui que
   vous ~~soyiez~~...
Écrivez plutôt : Quoi que nous **ayons** – et qui que
   vous **soyez**...

Mettre un **i** après le **y** à ces 1re et 2e personnes du pluriel du subjonctif présent des verbes **avoir** et **être** est une faute courante, due à la confusion avec la conjugaison de verbes comme **essayer, voir, fuir**, qui font à l'indicatif présent : « Nous essa**y**ons, vous vo**y**ez, nous fu**y**ons », et marquent leur emploi au subjonctif présent par l'ajout d'un **i** : « Il faut que nous essa**yi**ons, que vous vo**yi**ez, que nous fu**yi**ons. » Avec **avoir** et **être**, point besoin de ce **i** : la différence est d'emblée patente. À l'indicatif : « Nous avons, nous sommes. » Au subjonctif : « Que nous ayons, que nous soyons. »

Attention aussi aux verbes qui doivent doubler leur **i** à l'imparfait de l'indicatif et au présent du subjonctif pour, également, faire la différence avec le présent de l'indicatif. Ainsi, par exemple, de **prier** ou de **rire**. [« Nous pr**i**ons et nous r**i**ons toujours » ; « Il faudrait que nous pr**ii**ons et que nous r**ii**ons ».]

Évitez d'écrire : <u>Un</u> azalée.
Écrivez plutôt : Une **azalée.**
On s'y trompe souvent, en croyant bien faire.

Évitez d'écrire : Dans tous les ~~azimuths~~...
Écrivez plutôt : Dans tous les **azimuts**...
Venu de l'arabe *az-samt*, « le chemin », **azimut** ne prend plus de **h** final depuis 1680, ce qui n'est pas d'hier ! En revanche, on écrit : **zénith, bismuth** – et **bizuth** ou **bizut (bizuter, bizutage**). Par ailleurs, on se gardera d'écrire, et aussi de dire – or on l'entend –, « to<u>ut</u> azimut » à la place de la bonne forme **tous azimuts,** « dans tous les sens ».

Évitez d'écrire : Commençons par le ~~bàba~~.
Écrivez plutôt : Commençons par le **b.a.-ba**.
Autant dire l'**abc** (du métier)... L'idée rendue par l'élégante graphie **b.a.-ba**, c'est « b + a = ba ».

Évitez d'écrire : Abordage par ~~babord~~.
Écrivez plutôt : Abordage par **bâbord**.
Ce nom vient du néerlandais *bakboord*, « côté du dos » – « parce que, nous dit *le Petit Robert* le pilote manœuvrait en tournant le dos au côté [*bord*] gauche ». L'accent, qu'on a tendance à oublier, figure sans doute le **s** de **bas-bord** (orthographe de jadis).

Évitez d'écrire : Accès aux tables de bacca<u>rat</u>.
Écrivez plutôt : Accès aux tables de **baccara**.
Baccara vient du provençal *bacarra* (noter l'inversion du doublement de consonnes), qui signifiait précisément « jeu de cartes ». C'est la ville de Meurthe-et-Moselle, avec sa célèbre cristallerie, qui prend un **t**. [« Des verres en baccarat. »]

Évitez d'écrire : Possibilité de ba<u>ll</u>ades en forêt.
Écrivez plutôt : Possibilité de **balades** en forêt.
Au sens de « promenade », un seul **l** (comme **baladin, baladeur, se balader**). Au sens de « poème », « morceau de musique », deux **l** (comme **ballet, ballerine**).
[« *La Ballade des pendus ou La Ballade irlandaise.* »]
Le Petit Robert nous dit : « *Ballade*, chanson à danser, qui a donné *balader* ; à l'origine, "chanter des ballades (de ville en ville)" » – donc en se baladant !

Évitez d'écrire : Candidat en ~~ballotage~~ favorable.
Écrivez plutôt : Candidat en **ballottage** favorable.
La faute s'est longtemps affichée, sur les écrans de télévision, lors des soirées électorales. Or il se trouve que **ballotter** prend deux **t**. C'est une exception – avec **flotter, frotter, grelotter, trotter, botter**... – par rapport aux nombreux verbes en **-oter**, comme **barboter, gigoter** ou **peloter**.

Évitez d'écrire : Ces gestes devenus ban<u>aux</u>...
Écrivez plutôt : Ces gestes devenus **banals**...
On emploie le pluriel **banals** quand cet adjectif a le sens de « commun, sans particularité », donc la plupart du temps, et **banaux** quand il qualifie ce qui appartenait jadis au **ban** (territoire d'un suzerain, puis d'une commune). [« Des fours, des moulins banaux... »]

Évitez d'écrire : Les ban<u>cs</u>, un mois avant le mariage.
Écrivez plutôt : Les **bans**, un mois avant le mariage.
Les **bans** (de **bannière**) sont, à l'origine, des proclamations, des annonces. Ainsi donc les bans d'un mariage ! Autres sens de **ban** : bannissement [« Être au ban de la société..., puis en rupture de ban »] (le mot **banlieue** vient de là, eh oui !) ; roulement de tambour annonçant une solennité [« Ouvrez le ban, fermez le ban »], ou applaudissements en rythme [« Faire un triple ban... »] ; (jadis), convocation des nobles par le seigneur, d'où le **ban** et l'**arrière-ban**. Mais on a **banc** (du germanique *bank*) dans **banc des accusés** ou **banc d'infamie, banc d'essai, banc de poissons**...

Évitez d'écrire : Selon le ~~barême~~...
Écrivez plutôt : Selon le **barème**...
Ce mot – dont l'orthographe s'est simplifiée à

l'usage – vient d'un certain François **Barrême** (accent circonflexe), mathématicien du XVIIe siècle. D'ailleurs, pour le nom commun, les dictionnaires ont longtemps donné « barrême » en première occurrence...

Évitez d'écrire : C'est là que le <u>bas</u> blesse.
Écrivez plutôt : C'est là que le **bât** blesse.
Le **bât**, placé sur le dos d'une bête de somme, comme l'âne, pour fixer des charges, finit souvent par lui causer une irritation, puis une plaie. Et c'est de là que vient l'expression **là où le bât blesse**, pour désigner, au figuré, le point sensible de quelqu'un ou de quelque chose. De là aussi la qualification d'**âne bâté** appliquée à une personne sotte, conformément à la réputation de ce brave animal têtu.

Évitez d'écrire : Goûtez notre ~~baume de Venise~~.
Écrivez plutôt : Goûtez notre **beaumes-de-venise**.
Non, il ne s'agit pas d'un baume fabriqué à Venise, mais d'un muscat provenant de cépages cultivés sur la commune de **Beaumes-de-Venise** (Vaucluse), dont le nom « commun », comme ceux des autres vins, ne prend pas de majuscules.

Évitez d'écrire : Pas question de b<u>â</u>iller aux corneilles !

Écrivez plutôt : Pas question de **bayer** aux corneilles !

Ce verbe est une variante de **béer** (qui a aussi donné **bâiller, bâillement**, « inspiration involontaire »), mais il ne s'emploie que dans l'expression figée **bayer aux corneilles**, « rêvasser, le nez en l'air, la bouche ouverte (en regardant passer les corneilles...) ». Autre locution : **Vous me la baillez belle** (en s'adressant à quelqu'un qui raconte des choses fausses ou enjolivées), de **bailler** (sans accent, et signifiant jadis « donner »). C'est de là que vient **bailleur(-eresse)** « qui donne à louer » et **bailleur de fonds**.

Évitez d'écrire : C'est un grand ~~bazard~~.
Écrivez plutôt : C'est un grand **bazar**.
Il a certes fallu un **d** pour faire **bazarder**, mais **bazar** – nom désignant, à l'origine, un souk – a conservé sa graphie d'origine (persane).

Évitez d'écrire : Sympa, le ~~baujolais~~ village !
Écrivez plutôt : Sympa, le **beaujolais-villages !**
Ce vin est produit à partir de cépages d'un groupement de villages du Beaujolais (ancienne capitale : Beaujeu). Ne pas oublier le trait d'union. Variante populaire de **beaujolais** : **beaujolpif**.

Évitez d'écrire : Les best o<u>ff</u> de vos chanteurs
    préférés...
Écrivez plutôt : Les **best of** de vos chanteurs
    préférés...
Cet anglicisme (« le meilleur de ») est critiqué – on
pourrait souvent le remplacer par **florilège** –, mais il
fait partie de notre paysage linguistique. Attention,
donc, à la faute induite sous l'influence de *off screen,*
« hors de l'écran ». [« Une voix off » ; « Le festival
off d'Avignon ».]

Évitez d'écrire : On le chercha, bien qu'il
    <u>n'était</u> pas là.
Écrivez plutôt : On le chercha, **bien qu'**il
    ne **fût** pas là.
Comme **quoique**, la locution **bien que** ne peut être
suivie, sous peine de malheureux barbarisme, que du
subjonctif (ici, imparfait).

Écrivez (aussi bien) : Au Vieux **Bistrot** – *ou* Au
    Vieux **Bistro.**
On peut préférer **bistrot** à cause de son diminutif
bistrotier ! En tout cas, *le Petit Robert* règle son
compte à la légende tenace selon laquelle le mot
bistro, apparu seulement en 1882, viendrait de *byis-
tro* (« vite ! »), exclamation de soldats russes qui, se
faisant servir à boire dans des estaminets, auraient

ainsi exprimé leur impatience. Le rapport avec *bis-touille*, « mauvais alcool », semble plus vraisemblable. D'autant que ce fut bien avant – en 1814, précisément – que les cosaques, au nombre des forces de la Sainte-Alliance, firent un tour à Paris.

Écrivez (c'est selon) : Des chattes **blanc** et **noir** – *ou* **blanches** et **noires**.

Il faut opter pour « **blanc** et **noir** » si le pelage de chaque chatte est fait de noir et de blanc. Il faut choisir « **blanches** et **noires** » si les unes sont toutes blanches et les autres toutes noires. Selon la même logique, on écrira, à propos de drapeaux français : « Des étendards **bleu, blanc, rouge** », et non « bleus, blancs, rouges ». En effet, le pluriel indiquerait qu'il s'agit de drapeaux bleus, de drapeaux blancs et de drapeaux rouges, donc pas du tout tricolores.

Par ailleurs, rappelons-nous que les adjectifs de couleur demeurent invariables quand ils sont déterminés par un nom ou qualifiés par un adjectif, ou encore s'ils sont composés. [« Des panneaux **bleu ciel** » (d'un bleu comme celui du ciel) ou « **bleu de Prusse** » (d'un bleu qui nous est venu de ce pays) ; « Des papiers **vert foncé** » (d'un vert qui est foncé) ; « Des tons **bleu-vert** » (faits de bleu et de vert, et donc avec trait d'union). Enfin, n'oublions pas que les noms communs employés comme adjectifs de couleur restent invariables. [« Des gants **crème**, des papiers **bistre**, des toiles **lie-de-vin** ou **feuille-morte**, des vestes **marron**, des fonds **orange** (*mais* **orangés**, *adjectif*). »] S'accordent, par exception : **rose**, **mauve**, **fauve**, **incarnat**, **vermeil**... [« Des enveloppes **roses**... des lèvres **vermeilles**. »]

Évitez d'écrire : Le bourgeois bohême investit Paris.
Écrivez plutôt : Le bourgeois **bohème** investit Paris.
Accent grave, comme dans *la Bohème,* de Puccini, ou « la vie de bohème ». C'est à la **Bohême**, région d'Europe centrale, que l'accent circonflexe convient, et aussi aux frères **bohêmes** (ou frères moraves), mouvement religieux né au XVe siècle en Bohême.

Évitez d'écrire : Boîte de vitesse à changer.
Écrivez plutôt : **Boîte de vitesses** à changer.
Mais – logique – un **changement de vitesse**, pour moduler son allure.

Évitez d'écrire : Avec un air bonace...
Écrivez plutôt : Avec un air **bonasse**...
Le substantif **bonace** (de l'italien *bonaccia*) désigne le calme plat de la mer. C'est l'adjectif **bonasse** (**bon** auquel s'ajoute le suffixe dépréciatif *-asse*) qui qualifie quelqu'un dont la bonté excessive est faite de mollesse et de naïveté.

Évitez d'écrire : Ici, on aime la bonne ch<u>ai</u>r.
Écrivez plutôt : Ici, on aime la **bonne chère.**
Il ne s'agit pas du mot **chair** (viande), mais de son
homonyme de la locution **faire bonne chère** (du grec
kara, « visage »), qui signifiait jadis « faire bonne
figure, bon accueil ». D'où la **bonne chère** pour désigner ces repas où, dans les assiettes et dans les verres,
il y a de quoi faire naître la chaleur communicative
des fins de banquet.

Évitez d'écrire : Seulement quelques ~~bonhommes~~.
Écrivez plutôt : Seulement quelques **bonshommes.**
Double pluriel pour des **bonshommes,** comme pour
des **gentilshommes** (bien que le sens ne soit pas le
même, on peut penser à « des hommes bons »,
« des hommes gentils » !). À l'oral le **s** de **bons** et
de **gentils** doit s'entendre. Cette forme ne vaut pas
pour l'adjectif qualificatif **bonhomme.** [« Il affiche
des airs bonhommes. »]

Évitez d'écrire : Quelle ~~bougeote~~ chez cette ~~rigolotte~~
~~vieillote~~ sans ~~jugeotte~~ à la recherche de ~~biscotes~~
et d'~~échalottes~~ !
Écrivez plutôt : Quelle **bougeotte** chez cette **rigolote**
vieillotte sans **jugeote** à la recherche
de **biscottes** et d'**échalotes** !
C'est la bouteille à l'encre avec les mots terminés en

-ot(t)e : **capote**, **échalote**, **paillote**, **papillote**, **parlote**, **popote**... mais **biscotte**, **bouillotte**, **cagnotte**, **cocotte**, **culotte**, **marmotte**, **menotte**, **motte**, **pâlotte**, **polyglotte**, **roulotte**, **vieillotte**... Le moindre des logiciels d'orthographe apporte l'aide voulue. Mais convenons que ne plus mettre qu'un **t** à tous ces mots serait une mesure qui ne nuirait pas à l'utilité de l'orthographe. Seulement voilà, celle-ci, souvent logique, comme Jean-Pierre Colignon a su le montrer avec *L'orthographe, c'est logique* (dans cette collection « Dicos d'or »), est aussi, pour une grande part, historique, d'où ses aléas, faits d'exceptions et de distorsions.

Évitez d'écrire : On ~~boue~~ d'impatience.
Écrivez plutôt : On **bout** d'impatience.
Verbe **bouillir** (du 3ᵉ groupe) au présent de l'indicatif : « Je bous, tu bous, il **bout**, nous bouillons, vous bouillez, ils bouillent. » Au présent du subjonctif : « Que je bouille, que tu bouilles, qu'il **bouille**, que nous bouillions, que vous bouilliez, qu'ils bouillent. » Attention au futur et au présent du conditionnel : « L'eau **bouillira/ait** », et non « bouera/ait ».

Évitez d'écrire : Le film qui fait un b~~oo~~m.
Écrivez plutôt : Le film qui fait un **boum**.
Bien souvent pris l'un pour l'autre, ces deux mots...
Boum (comme l'onomatopée exprimant le bruit d'un

choc) = succès brutal, débordement d'activité. [« Ça a fait un boum... jusque dans les surbooms. »] **Boom** = anglicisme désignant une augmentation massive, une soudaine expansion. [« Le boom économique » ; « Les effets du baby-boom ».]

Évitez d'écrire : Au pays des sœurs ~~Bronte~~...
Écrivez plutôt : Au pays des sœurs **Brontë**...
La langue anglaise ignore tout autant le tréma que les accents. Celui des célèbres sœurs **Brontë** a résulté de la volonté de leur père de modifier l'orthographe de leur patronyme, Brunty, en souvenir de Nelson, duc de Brontë, en Sicile.

Écrivez (aussi bien) : La ville **bruit** – *ou* **bruisse** – de rumeurs.
Le verbe **bruire** (attesté dès le XIIe siècle, et qui a donné **bruit**, puis **bruissement**) se voit, de nos jours, supplanté dans l'usage par **bruisser**, apparu, lui, à la fin du XIXe siècle (à partir de **bruissant**), avec le même sens – moderne – de « produire un bruit léger » (jadis, **bruire** signifiait « retentir »). À noter que la terminaison en **-er** (du 1er groupe, aujourd'hui le plus vivant) permet de conjuguer **bruisser** à toutes les personnes de tous les modes et de tous les temps. D'où son avantage évident sur **bruire**, largement défectif. [« La ville bruissait... bruissa. »]

Évitez d'écrire : Prévention des ~~brulures~~.
Écrivez plutôt : Prévention des **brûlures**.
Chacun sait que notre accent circonflexe figure la trace d'un ancien **s**. C'est le cas dans **brûler**, qui s'est écrit au XIIe siècle *brusler*, et vient probablement, selon *le Petit Robert*, de la rencontre entre le latin *ustulare* et le **br** de l'ancien français *bruir*.

Évitez d'écrire : Un bureau d'étu~~de~~ et un centre de recherche~~s~~...
Écrivez plutôt : Un **bureau d'études** et un **centre de recherche**...
On écrit également **études** (au pluriel) quand ce nom est complément déterminatif de **comité, commission, mission, voyage**... Mais on préférera le singulier – c'est paradoxal, mais ici de bon sens (voir, plus loin, **de**) – quand il est lui-même déterminé. [« Un bureau d'étude des conjonctures économiques » (étude ciblée).]
Dans le même registre, on écrira par contre : « Un **centre** (*ou* **avis**) **de recherche** » ; « Un **débit** (*ou* **bureau**) **de tabac**, des **débits de tabac** », mais « Un **débit de boissons** ». (Voir aussi, plus loin, **salle**.)

Évitez d'écrire : C'est bien çà.

Écrivez plutôt : C'est bien **ça**.

Ça (pronom démonstratif) est la contraction de **cela**, qui, dans un écrit soutenu, reste préférable. À ne pas confondre avec **çà** (interjection ou adverbe de lieu). [« Ah çà ! comment a-t-on pu voir ça *(cela)* en Espagne, et aussi çà et là en France ? »] Avec accent aussi : **en deçà**, comme **au-delà**, qui fait penser à **là** (adverbe de lieu, opposé à **ici**, ou élément démonstratif). [« Là, c'était cette maison-là. »] Sans accent, **la** figure la note de musique (on l'écrit alors en italique : « pour donner le *la* ») ou est, comme **le**, article défini.

Évitez d'écrire : Descente en ~~canoé~~.
Écrivez plutôt : Descente en **canoë**.
De l'anglais *canoe*, ce mot ne comporte le tréma que pour satisfaire à sa prononciation en français, et il a donné **canoéiste**. Mais on écrit « l'arche de **Noé** » (de l'hébreu *Noah*).

Évitez d'écrire : Il convient de se ~~carapaçonner~~
Écrivez plutôt : Il convient de se **caparaçonner**.
Simple inversion de lettres, mais qui produit un gros barbarisme... Ce verbe n'est pas du tout de la famille de **carapace** ; il a été formé sur **caparaçon** (« armure protégeant un cheval ») et s'emploie le plus souvent au sens figuré.

Évitez d'écrire : Joyeux ~~caroussel~~ de Noël.
Écrivez plutôt : Joyeux **carrousel** de Noël.
Au XVIe siècle, on écrivait *carrouselle*. C'est une mauvaise prononciation – le son [s] au lieu de [z] – qui induit la faute à l'écrit.

Évitez d'écrire : Quel ~~cauchemard~~ !
Écrivez plutôt : Quel **cauchemar** !
Du picard *cauchier*, « presser », et du néerlandais *mare*, « fantôme »... Le **d** est entré dans les dérivés **cauchemarder** et **cauchemardesque** (jadis *cauchemaresque*) sous l'influence de la langue orale.

Évitez d'écrire : Vignerons, protégez vos c<u>èpe</u>s !
Écrivez plutôt : Vignerons, protégez vos **ceps** !
Dans le **cep** de vigne, il faut voir **pieu** (latin *cippus*).
Le **cèpe**, lui, champignon du genre bolet, bien qu'ayant son origine dans le gascon *cep*, « tronc », s'est orthographiquement différencié de son homophone viticole.

Évitez d'écrire : Nul n'est <u>sen</u>sé ignorer la loi.
Écrivez plutôt : Nul n'est **censé** ignorer la loi.
D'ailleurs, quelqu'un de **sensé** (qui a du bon sens) sait qu'on n'est pas **censé** (du latin *censere*, « estimer ») se démettre de ses responsabilités. À noter que *censere* a donné **cens**, « dénombrement, évaluation », et donc **censeur**.

Évitez d'écrire : De deux ce<u>nt</u> à trois cent<u>s</u> cinquante personnes...
Écrivez plutôt : De deux **cents** à trois **cent** cinquante personnes...
Les adjectifs numéraux cardinaux **cent** et **vingt** prennent un **s** quand ils sont précédés d'un nombre multiplicateur et non suivis d'un autre nombre. [« Quatre cents euros », mais « Quatre cent dix euros » ; « Quatre-vingts personnes », mais « Quatre-vingt-dix personnes ».] Noter les traits d'union, au-dessous de 100 seulement, entre les composants des nombres – sauf

s'ils sont reliés par **et**, comme **vingt et un**. [« Cent trente-quatre. »] Attention ! singulier pour « Les années quatre-vingt » ou « Le numéro cinq cent » (sens ordinal). **Mille**, lui, adjectif numéral ou nom, ne varie jamais, alors que **million** et **milliard** (noms) varient toujours. On écrit, d'ailleurs : « Des mill**e** et des cent**s** » ou « Quatre million**s** cinq cen**t** mill**e**... » (**cent** et **vingt** restent toujours invariables devant **mille**).

Écrivez (c'est selon) : ... **c'est à dire**... *(sans traits d'union)* – *ou*... **c'est-à-dire**... *(avec traits d'union).* **C'est à dire** (sans traits d'union) équivaut à « Ce n'est pas à taire ». Il s'agit d'une construction identique à « C'est à voir » ou à « C'est à faire ». Si l'on veut énoncer une équivalence ou une définition [« Écrivons poliment, c'est-à-dire sans fautes »], alors c'est la locution verbale, avec ses deux traits d'union, qui s'impose.

Écrivez (aussi bien) : Faites **ce qui** – *ou* **ce qu'il** – vous plaît.
On emploie l'un ou l'autre, quasi indifféremment, devant des verbes qui peuvent prendre la forme impersonnelle [« Voici ce qui – *ou* ce qu'il – adviendra »], sauf devant le verbe **falloir**. [« Écrivez **ce qu'il faut** » (sous-entendu : « écrire ») – « ce qui

faut » serait un barbarisme.] Mais on doit quand même admettre que **ce qui** donne lieu à un sens plus absolu que **ce qu'il**.

Écrivez (c'est selon) : **C'est...** – *ou* **Ce sont...**
Il est vrai qu'on peut écrire aussi bien, par exemple, « C'**est** les chaleurs de l'été » que « Ce **sont** les chaleurs » ; « C'**était** ces dames que l'on attendait » que « C'**étaient** ces dames » ; « Tout cela, c'**est** des histoires » que « ce **sont** des histoires ». La différence orthographique est induite par l'accord fait, indifféremment, soit avec le sujet apparent (*ce/c'*), soit avec le sujet réel (*chaleurs, dames* ou *histoires*). Il est des formes, pourtant, qui poussent à devoir choisir entre le singulier et le pluriel. Ainsi, on préférera (phrases affirmatives) : « **C'est vous** et **nous** qui viendrons » et « **Ce sont eux** qui l'ont voulu ». En expression négative : « **Ce n'est** pas **eux** qui le voudront. » En interrogative : « **Est-ce eux** qui viendront ? » (« Sont-ce eux... ? » ne peut s'employer que sur le mode vieilli ou plaisant.) Enfin, dans l'expression d'une quantité, le singulier convient bien. [« **C'était** cinq euros qu'il nous manquait » ; « **Ce sera** au moins cinq heures de route pour y aller ».]

Évitez d'écrire : Bienvenue en Champagne-Ardenn<u>es</u>.
Écrivez plutôt : Bienvenue en **Champagne-Ardenne**.

Au moment de la création des Régions administratives, celle-ci, qui comprend quatre départements – les Ardennes, l'Aube, la Marne et la Haute-Marne –, a emprunté la graphie possible du nom du massif qui s'étend en France, en Belgique et au Luxembourg, l'**Ardenne**, pour que ne soit pas privilégiée dans son appellation l'une de ses composantes (les Ardennes).

Évitez d'écrire : Accès au champ de cour~~se~~.
Écrivez plutôt : Accès au **champ de courses**.
Sur ce terrain où se déroulent des courses (de chevaux), courent des chevaux de course (faits pour la course).

Évitez d'écrire : La situation est ~~cahotique~~.
Écrivez plutôt : La situation est **chaotique**.
Chaotique vient de **chaos** (du grec *khaos*), nom qui désigne un profond désordre, une grande confusion, un amoncellement de rochers, ou encore le vide (voire le tohu-bohu) d'avant la création. Rien à voir avec **cahoteux** (« qui fait cahoter ») ou **cahotant** (« qui cahote »).

Évitez d'écrire : Chaque homme, chaque femme <u>ont</u> leur dignité.
Écrivez plutôt : **Chaque** homme, **chaque** femme **a sa** dignité.

Singulier de rigueur... Et quand, dans une phrase, **tout** répété a valeur de **chaque**, le singulier s'impose aussi. [« Tout homme, toute femme, tout enfant est concerné. »]

Évitez d'écrire : À la carte des vins, ~~château laffitte~~ et ~~clos d'estournel~~.

Écrivez plutôt : À la carte des vins, **château-lafite** et **cos-d'estournel**.

Ne pas ici se laisser influencer par Maisons-**Laffitte** (dans les Yvelines) ou Jacques **Laffitte** (le banquier et homme politique, ministre des Finances sous Louis-Philippe), ni par le coureur automobile Jacques **Lafitte**. En somme, « c'est simple comme un bon **lafite** » (un seul **f**, un seul **t**).

Quant au **cos-d'estournel**, si l'on ne connaît que le **clos**-de-vougeot, on s'étonnera de ce **cos** (mot gascon signifiant « colline de cailloux »).

Noter les traits d'union et les minuscules, comme dans les autres noms de vins. [« Un beaujolais, un côtes-du-rhône, un bordeaux, un château-margaux... »] Mais « Le champagne Dom-Pérignon » (nom propre déposé). Même recommandation pour les fromages. [« Un camembert, un cantal, un saint-nectaire... mais du Boursin... »]

Évitez d'écrire : Des étoffes vendues ch<u>ères</u>...

Écrivez plutôt : Des étoffes vendues **cher**...
« Elles sont **chères** » (adjectif qualificatif, attribut de **elles**), mais « Elles sont vendues **cher** » (adverbe, modifiant le verbe **vendre**, donc invariable). On écrira, par ailleurs : « Ces étoffes passent pour chères » c'est-à-dire « passent pour des étoffes chères ».

Évitez d'écrire : Ces chevaux légers de la politique...
Écrivez plutôt : Ces **chevau-légers** de la politique...
Nom composé qui ne court plus les rues, mais n'est pas si rare dans les journaux de bonne tenue, au sens figuré de « personnes combatives, mobiles et efficaces ». À l'origine : cavaliers du corps jadis attaché à la garde du souverain. (On écrit **un chevau-léger**.) Le trait d'union et la graphie **chevau** empêchent de voir dans ce mot une référence à des équidés de petit poids (« un cheval léger, des chevaux légers »).

Évitez d'écrire : Une chrysanthème.
Écrivez plutôt : Un **chrysanthème**.
À l'approche de la Toussaint, mieux vaut se souvenir du genre et de l'orthographe de ce mot.

Évitez d'écrire : Ci git notre maître à tous.
Écrivez plutôt : **Ci-gît** notre maître à tous.
Accent circonflexe figé dans cette locution adverbiale issue du verbe **gésir**, lequel ne se conjugue qu'au

présent et à l'imparfait de l'indicatif (« Je gis, il gît, je gisais »). Participe présent : **gisant**. Nom dérivé : un **gisant**.

Évitez d'écrire : Ci join~~te~~ copie des documents.
Écrivez plutôt : **Ci-joint** copie des documents.
Ci-joint, comme **ci-inclus** et **ci-annexé**, est invariable lorsque, comme ici, il figure en début de proposition ou immédiatement devant un nom. Dans les autres cas, nous aurons affaire à un adjectif qualificatif (donc variable), qui peut être soit épithète [« Veuillez considérer la facture ci-jointe »], soit en apposition [« Veuillez trouver, ci-jointe, notre facture »].

Évitez d'écrire : Respirez l'air des ~~cîmes~~.
Écrivez plutôt : Respirez l'air des **cimes**.
Pour l'imaginaire, l'accent circonflexe (chapeau) sur **cime**, c'eût été bien. Contentons-nous de nous rappeler que cet accent est tombé dans l'**abîme** (du latin *abyssus*, puis *abismus*), d'où il ne remontera pas. Jusqu'au début du XXᵉ siècle, on écrivait **abyme**, forme toujours présente dans **la mise en abyme** (dessin dans le dessin, récit dans le récit...).

Évitez d'écrire : Votre voiture cl~~és~~ en main !
Écrivez plutôt : Votre voiture **clé en main** !

Mais on préférerait le pluriel pour « Votre maison clé**s** en main ». La graphie **clef** (toujours licite) s'essouffle. (Voir, plus loin, **en main**, pour le singulier.)

Évitez d'écrire : Rentrée au lycée ~~Clémenceau~~...
Écrivez plutôt : Rentrée au lycée **Clemenceau**...
Si l'on en croit des chroniqueurs du temps, le Tigre n'appréciait pas du tout que l'on mît un accent à son nom. Il doit donc se retourner dans sa tombe (mais il voulait être enterré debout), tant ce **é** prononcé a gagné l'écrit. Également sans accent : **Pereire**, **Gallieni**, **Trenet** ou **Solferino**...

Évitez d'écrire : Les pathologies du c<u>o</u>lon...
Écrivez plutôt : Les pathologies du **côlon**...
À moins que – au lieu de celles du gros intestin – vous ne visiez les maladies du colon (de la colonisation)... À ce propos, on se souviendra qu'on parlait autrefois du « foie colonial » (dû, chez des expatriés, à l'excès d'alcool sous les climats chauds).

Évitez d'écrire : Avec un esprit ~~combattif~~...
Écrivez plutôt : Avec un esprit **combatif**...
Les mots de la famille de **battre** prennent deux **t**, sauf **combatif(ve)** et **combativité**.

Écrivez (c'est selon) : Cette circulaire**, comme** la

precédente, **est** à diffuser – *ou* Cette circulaire **comme** la précédente **sont** à diffuser.

Si **comme** appelle un complément de comparaison, seul le premier terme se trouve sujet du verbe, et deux virgules sont de rigueur. Si les deux termes sont considérés sur le même plan, ils sont tous deux sujets et induisent forcément l'accord au pluriel. Il en est de même avec **ainsi que**. [« Cet enfant, comme ses frères et sœurs, sera accueilli, et son inscription ainsi que sa prise en charge deviendront effectives. »]

Évitez d'écrire : Offrez un livre de ~~contines~~.
Écrivez plutôt : Offrez un livre de **comptines**.
Ce nom ne désigne pas, comme certains semblent le croire, de petits contes pour enfants. Une **comptine** est une petite chanson – ou récitation – enfantine qui sert à désigner **en comptant** (« Am, stram, gram... »).

Évitez d'écrire : Nous ~~concluerons~~ rapidement.
Écrivez plutôt : Nous **conclurons** rapidement.
Ce **e** dans la conjugaison de **conclure** – comme dans celle d'**inclure** ou d'**exclure** –, au futur de l'indicatif et au présent du conditionnel, ne serait légitime que s'il s'agissait du verbe « concluer ». Il faut se rappeler qu'à ces temps-là on doit retrouver exactement (sauf dans les conjugaisons irrégulières) le radical du verbe, y compris, le cas échéant, son accent aigu.

Conclure donne donc « Je **conclur**ai/s » ; **bouillir**, « Je **bouillir**ai/s » ; **rompre**, « Je **rompr**ai/s » ; **jouer**, « Je **jouer**ai/s » ; **succéder**, « Je **succéder**ai/s » ; **acheter**, « J'**achèter**ai/s » (ici, accent grave ajouté à **acheter** pour l'euphonie) ; mais **jeter**, « Je **jette**-r**ai/s ». (Voir, dans *Le Petit Larousse* ou *Le Petit Robert*, les tableaux de conjugaison des verbes en **-eter** et **-eler**.)

Évitez d'écrire : Des actions ~~concommittantes~~...
Écrivez plutôt : Des actions **concomitantes**...
Si l'on ignore une orthographe et que l'on n'ait pas la possibilité de la vérifier, mieux vaut écrire le plus simplement possible.

(Vous êtes un homme, médecin, avocat, expert-comptable...) *Évitez d'écrire à une relation professionnelle féminine :* Ma chère consœur, ...
Écrivez-lui plutôt : Mon cher **confrère**, ...
Appliquer la féminisation des noms de métier ou de fonction n'implique pas d'oublier la logique de la langue. Et s'il ne s'agit pas ici d'orthographe à proprement parler, l'emploi de l'une ou de l'autre de ces salutations va forcément entraîner des accords soit au masculin, soit au féminin. Or, un homme ne devrait pas s'adresser à une femme en l'appelant « Ma chère consœur » : compte tenu de l'élément latin *com, cum*

– « avec », « ensemble » = semblable –, il serait alors lui-même une « sœur ». Comme, par ailleurs, une femme ne peut évidemment pas donner du « Chère consœur » à un homme, il apparaît bien ici que **confrère** doit rester neutre. Et ce n'est la faute de personne si, depuis le latin, le neutre est rendu en français par le masculin... Ce n'est pas pour autant que, si elle tient à marquer du féminin la communication professionnelle avec une (d')autre(s) femme(s), « une » médecin ou une avocate devrait s'abstenir d'écrire, ou de dire : « Ma chère consœur/ Mes chères consœurs. » (Entre dames, on ne peut qu'être consœurs !)

Évitez d'écrire : ~~Connection~~ interrompue.
Écrivez plutôt : **Connexion** interrompue.
Connexion vient de **connexe** (du latin *connexus*). Mais le verbe **connecter** (du latin *connectere,* « lier ensemble ») n'est pas loin, et la *French Connection* est passée par là.

Évitez d'écrire : ~~Contredites~~-vous à loisir.
Écrivez plutôt : **Contredisez**-vous à loisir.
Règle en forme d'anomalie : alors que **dire** et **redire** font, au présent de l'indicatif, « Vous dites », « Vous redites » (« Dites » et « Redites » à l'impératif), les dérivés **contredire**, **dédire**, **interdire**, **médire** et

prédire y prennent la terminaison habituelle en [-ez]. (Quant à **maudire**, il fait « maudi*ss*ez ».) [« Redites-vous que désormais vous ne médisez plus. »]

Évitez d'écrire : Soyez convainquant(e).
Écrivez plutôt : Soyez **convaincant**(e).
« Convainquant *(participe présent)* ses proches, il n'est guère convaincant *(adjectif verbal)* avec les autres. » (Voir, plus loin, **navigant/naviguant**.)

Évitez d'écrire : ~~Convaint-on~~ jamais vraiment ?
Écrivez plutôt : **Convainc-t-on** jamais vraiment ?
Comme « Mange-t-on ? ». (Voir, plus haut, **apprend-on**.)

Évitez d'écrire : Quimper, dans la Cornouaill*es*.
Écrivez plutôt : Quimper, dans la **Cornouaille**.
La **Cornouailles** (avec **s**) est la région qui s'étend dans le sud-ouest de l'Angleterre.

Évitez d'écrire : *Du* coriandre.
Écrivez plutôt : **De la coriandre**.
Neuf fois sur dix, on voit ce masculin fautif.

Évitez d'écrire : Vue sur les ~~côteaux~~.
Écrivez plutôt : Vue sur les **coteaux**.
L'accent si répandu sur ce mot n'est qu'une faute. Dans les années 1600, **coteau** s'écrivait « couteau ». De

même origine, pourtant, que **côte** (du latin *costa*), **côté, côtelette**, il a peut-être perdu son accent du fait de cette ancienne orthographe.

Évitez d'écrire : Cheveux coupés cour<u>ts</u>.
Écrivez plutôt : Cheveux **coupés court**.
Ici, l'adjectif qualificatif **court(e)** est employé adverbialement, d'où son invariabilité. (Voir, plus haut, **À court**.)

Évitez d'écrire : Le verdict de la cour d'ass<u>ise</u>.
Écrivez plutôt : Le verdict de la **cour d'assises**.
Puisqu'on dit, par ellipse, « les assises », il n'y a pas à hésiter ! Mais **Assise**, la ville d'Italie, ne prend pas de **s**.

Évitez d'écrire : Spécial co<u>ups</u> de pied sensibles !
Écrivez plutôt : Spécial **cous-de-pied** sensibles !
Le nom composé **cou-de-pied** (des **cous-de-pied**) – noter les traits d'union – désigne la partie du pied située en avant de la cheville (comme un cou) et qui peut se trouver comprimée par une chaussure. Ce qui n'est évidemment pas bon pour les **coups de pied** (dans le ballon...).

Évitez d'écrire : Les 10 kilomètres qu'il a cour<u>us</u>...
Écrivez plutôt : Les 10 kilomètres qu'il a **couru**...
Attention ! il est des verbes, comme **courir, peser,**

mesurer, avec lesquels, pour l'accord de leur participe passé, la question « Qui ? » ou « Quoi ? » doit céder la place à « Combien ? ». Ici, **10 kilomètres** n'est pas complément d'objet direct, mais complément circonstanciel répondant précisément à la question « Combien ? », « Sur quelle distance ? » Donc pas d'accord. Mais, au sens figuré : « Les risques qu'ils ont ~~couru~~/**courus** » (ils ont couru quoi ?).

Évitez d'écrire : Ils ~~cousurent~~ et ~~recousurent~~...
Écrivez plutôt : Ils **cousirent** et **recousirent**...
Le verbe **coudre** au passé simple : « Je cousis, tu cousis, il cousit, nous cousîmes, vous cousîtes, ils cousirent. »

Évitez d'écrire : On cherche kr<u>ach</u> en orthographe.
Écrivez plutôt : On cherche **crack** en orthographe.
Le nom anglais **crack**, « fameux », désigne un cheval de course aux nombreuses victoires et, par extension, une personne fort performante (et pourquoi pas en orthographe ?). Autre acception : « coup de fouet » ; de là, le **crack**, drogue dure. Homonymes : **krak** (de l'arabe *karak*), = forteresse des chevaliers, en Palestine et en Syrie, au temps des croisades ; **crac** = onomatopée pour exprimer la rupture d'un objet dur ; **krach** (mot allemand) = débâcle financière (craquement) ; **craque** = mensonge pour se vanter [« Racon-

ter des craques »]. Un paronyme : **crash** (anglicisme) = atterrissage en catastrophe.

Évitez d'écrire : C~~rêmes~~ et ~~crêmeries~~...
Écrivez plutôt : **Crèmes** et **crémeries**...
Crème, du latin populaire de la Gaule *crama*, croisé avec *chrisma*, qui, lui, a donné **chrême** (le **saint chrême** dans la liturgie catholique), s'est écrit jadis *craime*. Puis l'accent grave, sous l'influence de la prononciation, est devenu aigu dans **crémerie**, de même qu'il l'est dans **crémant**, qui vient de **crémer** (se couvrir de crème... en parlant du lait).

Évitez d'écrire : C~~rêpes~~ et ~~crêperies~~...
Écrivez plutôt : **Crêpes** et **crêperies**...
Crêpe – fine couche de pâte cuite, mais aussi tissu – prend un accent circonflexe, qui a remplacé le **s** de l'ancien français *cresp*. De même que **crêperie**. Attention ! **crêpelé, crêper, crêpage, crêpure,** mais **crépine, crépon, crépu**...

Évitez d'écrire : Visitez la C~~rête~~.
Écrivez plutôt : Visitez la **Crète**.
Mais cette île grecque comprend, bien sûr, des lignes de crête, et ses habitants sont les Crétois... Ceux de Gênes, les Génois.

Évitez d'écrire : Comme protection du véhicule, la
seule <u>C</u>roix-<u>R</u>ouge.
Écrivez plutôt : Comme protection du véhicule, la
seule **croix rouge**.

La **croix rouge** (le croissant rouge dans les pays
musulmans) est l'emblème de la **Croix-Rouge**, la
célèbre organisation internationale et neutre (avec
deux majuscules et un trait d'union). À noter que le
drapeau de celle-ci (croix rouge sur fond blanc) a été
mis au point en inversant les couleurs du drapeau
suisse (croix blanche sur fond rouge).

Évitez d'écrire : Au menu, cuiss<u>eau</u> de chevreuil.
Écrivez plutôt : Au menu, **cuissot** de chevreuil.

La fameuse dictée de Mérimée a appris à tout le
monde, au fil des générations, que les terminaisons
en *-eau* et *-ot* de ce même mot s'appliquent à des
viandes bien différentes. Terme de vénerie, **cuissot** a
désigné, dès le XIVe siècle, la cuisse de gibier (san-
glier, cerf, chevreuil...). **Cuisseau**, lui, apparu au XIXe
(admis en 1863 par Littré), pour marquer la différence entre élevage et chasse, ne concerne que la
cuisse du veau dépecé. Seulement, voilà : *le Petit
Robert* admet maintenant **cuisseau** dans les deux cas.
Trahison ou simple volonté de simplification ? Beau
sujet d'empoignade entre puristes et laxistes.

Écrivez (c'est selon) : Examen des curriculum vitae –
   ou des curriculums.

On comprend bien que notre pluriel ne puisse s'appliquer qu'au mot simple : le nom composé ne tolérerait pas deux **s.** Quand au pluriel latin (*curricula vitae*), il tomberait comme un cheveu sur la soupe.

Évitez d'écrire : Arrivage de ~~dalhias~~.
Écrivez plutôt : Arrivage de **dahlias**.
Le nom de cette plante originaire du Mexique nous vient de celui du botaniste suédois Dahl (XVIIe siècle).

Évitez d'écrire : Appel à <u>d'a</u>vantage de vigilance.
Écrivez plutôt : Appel à **davantage** de vigilance.
Il y a loin de **davantage**, adverbe (« encore plus »), à **d'avantage(s)**, employé surtout au pluriel (« de privilèges »). « Faut-il exiger davantage d'avantages ? »

Évitez d'écrire : À l'attention des chauffeurs de tax<u>is</u>.
Écrivez plutôt : À l'attention des chauffeurs **de** tax**i**.
Le complément déterminatif d'un nom au pluriel

s'écrit le plus souvent au singulier ; cependant, s'il est lui-même déterminé ou qualifié, le pluriel s'impose. [« Des crinières de cheval », mais « Des crinières de chevaux sauvages » ; « Des comités d'entreprise », mais « Des comités d'entreprises nationalisées » ; « Des peaux de mouton », mais « Des peaux de moutons de pré salé ».] Le pluriel est de rigueur après un nom induisant d'emblée une multiplicité d'objets de natures différentes. [« Des troncs d'arbres et des peaux d'animaux (ou de bêtes). »] Par ailleurs, on écrira logiquement : « Des boutons de manchettes... et des boucles d'oreilles » (sauf s'il s'agit de boucles pour une seule oreille masculine).

Évitez d'écrire : C'est de bon<u>ne</u> augure.
Écrivez plutôt : C'est **de bon augure**.
Du latin *augurium*, de *augur* → *augustus*, « août », il est bon ou mauvais, ce présage...

Évitez d'écrire : De bu<u>tte</u> en blanc, en b<u>ut</u> aux reproches...
Écrivez plutôt : **De but en blanc**, **en butte** aux reproches...
Selon le regretté linguiste Maurice Rat, la locution **de but en blanc** vient de « tirer d'une butte en visant sans préparation (sans prévenir) le centre (blanc) de

la cible (le but...) ». C'est ce **but** qui a fini par supplanter la « butte ». En revanche, on écrit **être en butte à**... Ce qui, à l'origine, signifie : « être exposé comme une butte sur un champ de tir ».

Évitez d'écrire : De canaux en canaux, et de canal en rivière...
Écrivez plutôt : **De** canal **en** canal, et **de** canaux **en** rivières...
Au gré de l'errance, il est d'un bon usage d'adopter le singulier pour la répétition du même nom, et le pluriel pour l'addition de noms différents. [« De bistrot en bistrot, Antoine Blondin affinait son talent » ; « De symphonies en concertos, ce chef s'est imposé ».]

Évitez d'écrire : Briques posées de champ.
Écrivez plutôt : Briques posées **de chant**.
Ce **chant**-là vient du latin *canthus*, « bande ». Il désigne la face étroite d'une brique, d'un madrier, d'une solive, etc.

Évitez d'écrire : Sur des décombres fumantes...
Écrivez plutôt : Sur des **décombres** fumants..
Masculin et toujours au pluriel.

Évitez d'écrire : De vieilles installations décré<u>pies</u>...
Écrivez plutôt : De vieilles installations **décrépites**...
N'est **décrépi** (du verbe **décrépir**) que ce qui a perdu son **crépi**, comme un mur. L'adjectif **décrépit**, lui (de la famille de **décrépitude**), qualifie une personne affaiblie par l'âge, fatiguée, ou une chose usée, cassée. [« Quand nous serons bien âgés, ridés et décrépits. »]

Évitez d'écrire : Le général <u>De</u> Gaulle à Londres.
Écrivez plutôt : Le général **de Gaulle** à Londres.
Seuls des journaux situés dans la mouvance de l'extrême droite, et ayant toujours dénié au Général le droit à la particule, emploient la majuscule.

Évitez d'écrire : Attention aux hamburgers dégo<u>û</u>tant de ketchup !
Écrivez plutôt : Attention aux hamburgers **dégouttant** de ketchup !
Le contresens serait fâcheux : il n'y a rien de **dégoûtant** (**dégoûter** = « heurter le **goût** ») ni dans le hamburger ni dans le ketchup. Mais des sandwichs chauds **dégouttant** (participe présent de **dégoutter** = « couler goutte à goutte ») d'huile ou de mayonnaise ne sont pas recommandables.

Évitez d'écrire : ~~Déjeûner~~ à partir de midi.
Écrivez plutôt : **Déjeuner** à partir de midi.
Le verbe **jeûner** (→ **jeûne**) a perdu l'accent en s'allongeant pour donner **déjeuner** (verbe puis nom), qui pourtant ne signifie rien d'autre que « rompre le jeûne ».

Écrivez (c'est selon) : De vra**ies** – *ou* vra**is** – **délices**...
Le substantif **délice**, toujours masculin au singulier, s'emploie encore au féminin dans le langage littéraire. [« Les délices infinies de votre présence, madame... »] En tout cas, il reste désormais masculin dans des expressions comme « L'un des plus merveilleux délices... », « Le plus grand de tous les délices... ». Par ailleurs, on préférera **avec délice** à « avec délices ».

Évitez d'écrire : Un travail de longue <u>alêne</u>.
Écrivez plutôt : Un travail **de longue haleine**.
Certes, pour percer le cuir, un bourrelier ou un cordonnier peuvent utiliser une **longue alêne**. Mais même eux, comme tout un chacun, quand il s'agit de s'adonner à un travail demandant beaucoup de temps et d'efforts, doivent avoir « l'haleine longue » (le souffle long), ce qui nécessite de savoir **reprendre haleine**. Car celui qui aurait « l'haleine courte » (le souffle court) ne ferait que **haleter** face à la tâche.

Évitez d'écrire : Des rythmes de travail ~~démenciels~~...
Écrivez plutôt : Des rythmes de travail **démentiels**...
Comme **confidentiel, différentiel, pestilentiel, pré-sidentiel, providentiel, référentiel, substantiel**...
(dérivés de noms à la terminaison en *ence* ou *ance*) ;
mais **circonstanciel** ! Adjectifs dérivés de noms en *ice* : **cicatriciel, sacrificiel, préjudiciel**..., mais **interstitiel** ! Enfin, attention à **événementiel** !

Évitez d'écrire : Une de<u>mie</u>-heure, puis deux heures et de<u>mi</u>...
Écrivez plutôt : Une **demi**-heure, puis deux heures **et demie**.
Devant un nom ou un adjectif, **demi**, suivi d'un trait d'union, est invariable. Après un nom, **et demi** s'accorde en genre mais jamais en nombre. [« Trois mesures et demie... »] (L'accord ou non de **nu** est à rapprocher de cette règle : « Pieds nus... nu-pieds... ») On ne fait pas suivre la locution **à demi** d'un trait d'union. [« À demi engagé... à demi arrivé... »] Exception (devant un nom) : **à demi-mot**.

Évitez d'écrire : Ne vous ~~départissez~~ de rien.
Écrivez plutôt : Ne vous **départez** de rien.
Il est vrai que l'usage fait souvent suivre à **départir** la conjugaison de **finir** (2e groupe). Pourtant, c'est un verbe du 3e groupe, comme **partir**, qui fait donc :

« Je me départs... ils se départent... je me départais... je me départis... nous nous départîmes... en nous départant... »

Évitez d'écrire : On vous habillera de pie<u>ds</u> en ca<u>pe</u>.
Écrivez plutôt : On vous habillera **de pied en cap**.
Cette locution – qui signifie « complètement » – est une forme littéraire employée pour « des pieds à la tête » (ou... « de la tête aux pieds »). Ce **cap**-là, mot provençal, vient du latin *caput*, « tête », « chef ». Le singulier de **pied** peut étonner, mais l'expression est figée, et il faut y voir « de la base au sommet ». À l'oral, on fait la liaison, après **pied**, comme avec un **t** [« de pied *t*-en cap »].
Attention ! on écrit « Un roman ou un film **de cape et d'épée** » : dont les héros intrépides affichent une image qui ne tient qu'à leur cape et à leur épée, comme les mousquetaires d'Alexandre Dumas. Autre locution, **rire sous cape** = en dessous, comme si l'on avait la tête sous une cape.

Évitez d'écrire : À vendre, maison de <u>plein</u> pied.
Écrivez plutôt : À vendre, maison **de plain-pied**.
La faute s'affiche à plus d'une vitrine d'agence immobilière. Comme dans **plain-chant**, ce **plain**-là vient du latin *planus,* « plan », « uni », « égal », donc sans différence de niveau. Noter le trait d'union.

Évitez d'écrire : Attention ! gaz dét<u>onn</u>ant.
Écrivez plutôt : Attention ! gaz **détonant**.
Détoner = exploser (un seul mot : un seul **n**) ; **déton-ner** = chanter faux (deux mots : deux **n**), donc sortir du ton... Si quelque 250 verbes font leur terminaison à l'infinitif en **-onner**, de **abandonner** à **vermillon-ner**, en passant par **détonner** (sortir du ton), **capa-raçonner** ou **résonner** (mais **résonance**, comme **assonance**), moins de dix la font en **-oner**, comme **cloner**, **détoner** (exploser), **ramoner**, **s'époumoner**, **téléphoner**...

Évitez d'écrire : De tout<u>es</u> faç<u>ons</u>, c'est gagné.
Écrivez plutôt : **De toute façon**, c'est gagné.
Singulier aussi pour **de toute manière, en tout cas, en tout point, à tout point de vue, de tout poil**, [véhicule(s)] **tout-terrain**... Mais on écrira **sans façons, sans plus de façons, à tous égards, à tous crins, tous azimuts** (voir, plus haut, ce nom). Et l'on restera libre de son choix entre **en tout sens** et **en tous sens**.

Évitez d'écrire : Faut-il qu'elle se dévêt<u>ît</u> ?
Écrivez plutôt : Faut-il qu'elle se **dévête** ?
Pour la concordance des temps, le présent de l'in-dicatif « Faut-il... » appelle celui du subjonctif « dévête ». Comme l'imparfait de l'indicatif

appellerait celui du subjonctif. [« Fallait-il qu'elle se dévêtît... ? »]

Évitez d'écrire : Signes diagnostics évidents.
Écrivez plutôt : Signes **diagnostiques** évidents.
Particularité du substantif **diagnostic** : c'est lui qui, attesté en 1732, a découlé de **diagnostique**, adjectif, attesté en 1584 ; du grec *diagnôstikos*, « apte à reconnaître ». Même différence orthographique entre **pronostic** (nom) et **pronostique** (adjectif). Mais, là, c'est le substantif qui est apparu le premier... [« Le diagnostic comme le pronostic ont été établis à partir d'éléments diagnostiques et pronostiques fiables. »]

Évitez d'écrire : Règlement des différents.
Écrivez plutôt : Règlement des **différends**.
Bien que de même origine, l'adjectif **différent(e)** et le nom commun **différend** (désaccord résultant d'une différence) se sont différenciés en nature, en signification et en graphie.

Évitez d'écrire : Quel ~~dilemne~~ pour rester ~~indemme~~ !
Écrivez plutôt : Quel **dilemme** pour rester **indemne** !
Dans **dilemme,** il y a **lemme**, ce substantif qui désigne, en mathématique, une proposition déduite d'un ou plusieurs postulats (du latin *lemma*, dérivé du

grec). L'adjectif **indemne** (qui a donné **indemnité**) vient, lui, du latin *damnum*, « dommage ».

Écrivez (c'est selon) : Un **disque-jockey**, des **disques-jockeys** – *ou* Un **disc-jockey**, des **disc-jockey**s.

Eh oui, selon que l'on préfère franciser ce mot anglais pur sucre – ce qui se fait de plus en plus – ou, au contraire, lui conserver sa couleur locale d'origine, on choisira l'une ou l'autre de ces graphies. Si l'on opte pour **disc-,** on se gardera au pluriel d'y mettre un **s** : en anglais, le premier composant d'un nom composé ne varie pas.

La recommandation officielle d'employer en lieu et place **animateur** peut faire sourire, tant est large l'étendue des acceptions de ce nom, et fort le sentiment d'appartenance des habitués des discothèques. Quant à l'abréviation **DJ**, mieux vaut, à l'oral, sous peine de ne pas être compris, lui laisser sa forme [didjai].

Évitez d'écrire : Dîtes-nous qui vous êtes.
Écrivez plutôt : **Dites**-nous qui vous êtes.

On a pu trouver ce **î** jusque sur le site Internet de Radio France. Il est aussi fautif, dans la conjugaison du verbe **dire** et de ses dérivés, à cette 2ᵉ personne du pluriel de l'impératif qu'il le serait à la 2ᵉ personne du pluriel du présent de l'indicatif [« Nous disons, vous **dites** »]. L'accent n'est licite qu'aux 1re et 2e personnes du pluriel du passé simple [« Nous **dîmes**, vous **dîtes** »], puis à la 3e du singulier de l'imparfait du subjonctif [« Il fallait qu'il le **dît** »].

Évitez d'écrire : ~~La jihad~~...
Écrivez plutôt : **Le djihad**...
Quand ce mot – c'est en anglais qu'il s'écrit *jihad* – est employé au féminin, c'est sans doute sous l'effet de l'attraction de « guerre sainte », traduction d'ailleurs contestée.

Évitez d'écrire : ~~Dôle~~, pcrlc du Jura.
Écrivez plutôt : **Dole**, perle du Jura.
L'accent fautif sur **Dole** et **Dolois**, fort répandu, vient peut-être d'un effet d'attraction de la **Dôle**, sommet du Jura suisse, voire de la **dôle**, vin rouge du Valais (?). Le chef-lieu du Jura, **Lons-le-Saunier**, a souvent, lui aussi, droit à une faute : « Saulnier »...

Évitez d'écrire : « ~~Donne-z-en~~ toujours », lui dit-il.
Écrivez plutôt : « **Donnes-en** toujours », lui dit-il.
Devant **en** et **y**, pour obtenir l'euphonie voulue, on met un **s** à la forme du singulier de l'impératif des verbes du 1er groupe, qui autrement n'en prend pas. [« Travaille... travailles-y... ; gagne... gagnes-en... »] (Voir aussi, plus loin, **Vas-y**.)

Évitez d'écrire : Total des sommes ~~dûes~~.
Écrivez plutôt : Total des sommes **dues**.
L'accent circonflexe de **dû** (masculin singulier du nom, de l'adjectif ou du participe passé de **devoir**) – utilisé pour éviter toute confusion avec l'article défini contracté **du** – ne doit pas se retrouver au féminin singulier ou au pluriel. [« La somme que vous avez due se révéla relative à ce dû que vous aviez dû régler sur vos dus. »]

Évitez d'écrire : Déclaration ~~dument~~ enregistrée.
Écrivez plutôt : Déclaration **dûment** enregistrée.
Parmi les adverbes en **-ument**, on a, avec **dûment** et **indûment, assidûment, continûment, crûment, goulûment**... qui prennent l'accent, mais la plupart, comme **ingénument, éperdument** ou **résolument**, n'en ont pas.

Évitez d'écrire : Tout ~~disfonctionnement~~ est à signaler.
Écrivez plutôt : Tout **dysfonctionnement** est à signaler.
L'élément **dys-**, du grec *dus*, « manque », « difficulté » – comme dans **dysharmonie** ou **dyslexie** –, se différencie bien par le sens de son voisin **dis-** (du latin), « séparation », « différence » – comme dans **discontinuité, disrupteur** ou **distension**..

Évitez d'écrire : Contournez l'~~échaffaudage~~.
Écrivez plutôt : Contournez l'**échafaudage**.
N'échafaudons pas au-delà d'un **f**, qui suffit, puisque le mot vient de **échafaud**, de l'ancien français *chafaud*, lui-même du latin populaire *catafalicum*. Mais retenons deux **f** (jetés l'un contre l'autre) pour **échauffourée**.

Évitez d'écrire : <u>Un</u> échappatoire.
Écrivez plutôt : Un**e** **échappatoire**.
Comme une **écritoire**, une (bonne) **mémoire**. Mais u**n** **exutoire**, un **mémoire** (écrit, rapport)...

Évitez d'écrire : Pour cette sortie, chacun ira de son écho.

Écrivez plutôt : Pour cette sortie, chacun ira de son **écot**.

Ce nom nous est venu du francique *skot*, « contribution » ? Autrement dit, ici : chacun paiera sa part. À moins, bien sûr, que chacun ne soit appelé à produire un effet d'écho (réflexion du son).

Évitez d'écrire : Des tissus effaufilés...

Écrivez plutôt : Des tissus **éfaufilés**...

Les mots commençant par *ef-* – comme **effusion**, **effacer, effroi**... – prennent deux f, sans, bien sûr, d'accent aigu devant. Une seule exception : **éfaufiler**.

Évitez d'écrire : Une effluve.

Écrivez plutôt : U**n effluve**.

Comme un parfum, et donc « les effluves embaumés... ».

Évitez d'écrire : Et bien ! nous y sommes.

Écrivez plutôt : **Eh bien** ! nous y sommes.

Faute grave, qui se répand. Pourtant, **et** (conjonction) n'a rien à voir avec **eh** (interjection d'étonnement, d'admiration...). L'interjection **hé !**, elle, exprime l'appel, le reproche. [« Hé ! venez donc ! » ; « Hé ! attention ! »] Noter les points d'exclamation. On écrit aussi **Eh oui**... **Eh non**... **Eh quoi**... [« On cherche le bonheur. Et ce n'est pas une mince affaire. Eh non ! »]

Évitez d'écrire : Eli<u>za</u>beth II règne mais ne
    gouverne pas.
Écrivez plutôt : **Élisabeth II** règne mais ne
    gouverne pas.
L'emploi en français du **s** et de l'accent aigu est conforme à la pratique traditionnelle qui commande de traduire dans notre langue les noms des têtes couronnées d'autres pays : **Henri** (pour Henry) VIII, roi d'Angleterre ; **Édouard** (pour Edward) VII, roi de Grande-Bretagne et d'Irlande... ou encore **Jacques** pour James et **Guillaume** pour William ; **Frédéric** (pour Friedrich) II de Prusse. Exception : les **George** britanniques (George V....) Autre raison : à l'oral, il s'agit bien, pour nous, d'« **Élisabeth Deux** », et non de « Elizabeth Second ».

Évitez d'écrire : U<u>ne</u> éloge.
Écrivez plutôt : U**n éloge**.
Souvenons-nous du mot de Beaumarchais : « Sans la liberté de blâmer, il n'est point d'**éloge** flatt**eur**. »

Évitez d'écrire : Elles se sont empar<u>é</u> de tout.
Écrivez plutôt : Elles se sont **emparées** de tout.

Le participe passé des verbes essentiellement pronominaux – ceux qui sont toujours précédés du pronom personnel, sous peine de n'avoir aucun sens, comme **s'absenter** ou **s'emparer** (on ne peut « absenter » ni « emparer » quelqu'un) – s'accorde avec le sujet. Exceptions pour **s'arroger** et **s'approprier**, qui ont forcément un complément d'objet direct avec lequel, s'il est placé devant, leur participe passé s'accordera. [« Ils se sont arrogé des droits et approprié des biens » ; mais « Les droits qu'ils se sont arrogés et les biens qu'ils se sont appropriés ».] (Voir, dans cette collection « Dicos d'or », *Accordez vos participes*, de Micheline Sommant.)

Évitez d'écrire : Un travail empr<u>un</u>t de sérieux...
Écrivez plutôt : Un travail **empreint** de sérieux...
Si quelque chose est **empreint** (féminin : **empreinte**) – adjectif –, c'est qu'on peut y déceler une trace, une marque, une **empreinte**. Nous sommes loin de l'**emprunt** (« obtention d'une somme d'argent ou d'un objet en prêt »).

Écrivez (c'est selon) : U**n émule** – *ou* Un**e émule**.
Nom des deux genres. [« Il est son émule accompli ; elle est son émule parfaite. »]

Évitez d'écrire : « En cas de dépressurisation de
l'appareil, des masques à oxygène tomber<u>ont</u>
devant vous. »

Écrivez plutôt : « **En cas de** dépressurisation de
l'appareil, des masques à oxygène tomber**aient**
devant vous. »

C'est l'indicatif futur qui figure dans les textes réfé-
rents des annonces à bord des avions de plusieurs
compagnies aériennes francophones. Pourtant, la
locution **en cas de** – comme **au cas où**, **pour le cas
où** – n'exprime qu'une éventualité (ici, dramatique),
voire une condition, et donc ne devrait entraîner que
le conditionnel. [« Au cas où cela se produirait (= si
cela se produisait), voilà ce qui ~~arrivera~~/**arrive-
rait**... »]

Évitez d'écrire : Ça s'est passé en cinq se<u>pt</u>.

Écrivez plutôt : Ça s'est passé **en cinq sec**.

Autrement dit, très rapidement. Cette locution vient
du jeu de l'écarté : « en cinq points sec » (en une
seule manche de cinq points). On voit aussi, comme
faute, sous l'influence du tennis, « en cinq sets ».

Évitez d'écrire : Vos photos en coule<u>ur</u>.

Écrivez plutôt : Vos photos **en couleurs**.

Tous les ouvrages de référence (qui font référence :
donc pas de **s** à ce mot) s'accordent à indiquer : « Des

photos, des films, des vêtements... en couleurs. »
Mais, au singulier : « Des vêtements, des taches, des
hommes... de couleur. » On écrit : « Des téléviseurs
couleur » (nom adjectivé et invariable pour « qui res-
tituent la couleur ») et, surtout, « Des personnages,
des comportements... **hauts en couleur** ».

Évitez d'écrire : En ce cas, vous ~~encoureriez~~ un
    risque.
Écrivez plutôt : En ce cas, vous **encourriez** un
    risque.
L'infinitif des verbes réguliers se retrouve intact dans
leurs formes du futur simple de l'indicatif et du
conditionnel présent (**succéder** = Je **succéder**ai/Je
succéderais). Mais pour **courir** et ses dérivés, tel
encourir, on doit, à ces temps-là, doubler le **r,**
pour marquer la différence avec le présent de l'indicatif. [« Vous courez aujourd'hui ? Vous courrez
demain... »]

Évitez d'écrire : Seriez-vous en délicatess<u>es</u> avec
    elle ?
Écrivez plutôt : Seriez-vous **en délicatesse** avec
    elle ?
Non, vous ne faites pas montre à son égard de **déli-
catesses** particulières, mais vous vous trouvez, avec
elle, dans une situation délicate, plutôt conflictuelle.

Évitez d'écrire : Comme des enfants de c<u>œu</u>r...
Écrivez plutôt : Comme des **enfants de chœur**...
La faute, évidemment, ne peut être commise – or, elle l'est – que par ceux, de plus en plus nombreux, qui ne savent pas ce qu'est un **enfant de chœur**. Dans la liturgie catholique, il s'agit d'un garçon – ou, désormais, d'une fille – qui sert la messe (qui assiste le prêtre) dans le chœur d'une église. Au sens figuré, on désigne ainsi une personne naïve.

Évitez d'écrire : Les bégonias sont en fleu<u>rs</u>.
Écrivez, mieux : Les bégonias sont **en fleur**.
Ici, le singulier est tenu comme préférable, signifiant que ces bégonias sont en floraison, comme les arbres sont en fleur au printemps. Quand plusieurs espèces de fleurs sont en cause, l'emploi du pluriel est légitime. [« La prairie, comme le verger, est en fleurs. »] Attention ! *À l'ombre des jeunes filles en fleur*s, de Marcel Proust.

Écrivez (c'est selon) : Tenir **en lisières** – *ou* **en lisière**...
S'il s'agit de l'exercice d'une tutelle sur quelqu'un, on écrira **en lisières** (image des cordons attachés au vêtement de l'enfant qui commence à marcher). Si l'on veut signifier que quelqu'un ou quelque chose est tenu à l'écart, à la périphérie d'un sujet traité, on

préférera **en lisière**. [« Il est nécessaire de tenir ces enfants en lisières, eux qui ont vécu en lisière de toute éducation. »]

Évitez d'écrire : Prenons notre avenir en mains !
Écrivez plutôt : Prenons notre avenir **en main** !
Le mot **main** est au singulier dans les locutions marquant une appropriation, une possession, une détermination. [« À remettre en main propre » (à la personne concernée elle-même – que ses mains, bien sûr, soient propres ou sales !) ; « Prendre en main les intérêts de quelqu'un » ; « Avoir les preuves en main ».] Par ailleurs (en tenant compte du sens, abstrait ou concret) : « Un homme de main » ; « Une poignée de main » (on est loin d'une poignée de cacahouètes !) ; « Le frein à main » ; « Une perceuse à main » ; « À main armée » ; « Porter une valise en changeant de main », mais « Entreprise et actions qui changent de mains » ; « La lutte à mains nues » ; « Prendre à pleines mains ». Attention à « Jeu de ma**in**, jeu de vila**in** » ! (Un vilain, ce paysan du Moyen Âge, ne pouvait jouer à la balle qu'« à la main », et non, comme les nobles, à l'aide d'un instrument.)

Évitez d'écrire : U**ne** en-tête.
Écrivez plutôt : U**n en-tête**.

Sans doute votre papier à lettres mérite-t-il un bel en-tête (ce masculin en dépit du féminin **tête**).

Évitez d'écrire : U~~ne~~ entrejambe.
Écrivez plutôt : U**n entrejambe**.
Ce nom masculin (forme moderne de **entre-jambes**) désigne, en fait, l'**espace** entre les cuisses (synonyme : [un] **entrecuisse**), et donc la partie afférente d'un pantalon. Étonnant : on appelle ainsi également l'espace compris entre les pieds d'une table ou d'un fauteuil.

Évitez d'écrire : Votre ~~entremet~~ le plus savoureux !
Écrivez plutôt : Votre **entremets** le plus savoureux !
En français, des noms terminés au singulier par une marque de pluriel, ça ne court pas les dictionnaires (il y a **aurochs**, dont on ne prononce pas le **s**...). Pour **mets**, *le Petit Robert* nous dit qu'il s'écrivait *mes* (donc sans **t**) vers 1130 – du latin *mittere*, « mettre » (sur la table). Ici, un mets que l'on peut servir **entre** deux autres (jadis entre le rôti et le dessert). Aujourd'hui, c'est plutôt un dessert.

Évitez d'écrire : Entrer en foncti~~on~~...
Écrivez plutôt : **Entrer en fonctions**...
En effet, on prend plutôt ses fonctions. Mais on

écrira : « Une voiture, un logement de fonction... » (chacun étant attaché à la fonction).

Écrivez (c'est selon) : **Envers** et contre **tout** – *ou*
    contre **tous**...
En dépit de la totalité des obstacles possibles, ou bien à l'encontre des avis de tout le monde : choisissez.

Écrivez (c'est selon) : Des **enzymes** mi**s** – *ou* mi**ses** –
    en évidence...
Une marque de lessive, avec ses « enzymes gloutons », a assuré de beaux jours au masculin. Mais la communauté scientifique continue de préférer le féminin.

Évitez d'écrire : Un éphéméride.
Écrivez plutôt : Un**e** **éphéméride**.
Grande est la tentation du masculin...

Évitez d'écrire : Un épithète.
Écrivez plutôt : Un**e** **épithète**.
[« C'est l'épithète qu'on lui a accol**ée**. »]

Évitez d'écrire : Des indications ~~éronnées~~...
Écrivez plutôt : Des indications **erronées**...
De **erreur**, donc deux **r**. Mais un seul **n :** cet adjectif ne dérive en aucune façon d'un verbe qui se terminerait en **-onner**.

Évitez d'écrire : Pour agir ~~ès-qualité~~...
Écrivez plutôt : Pour agir **ès** qualit**és**...
Contraction de **en les**, ce **ès**, avec accent et jamais suivi d'un trait d'union, entraîne forcément le pluriel. « Docteur **ès** lettres... **ès** sciences... » ; « spécialiste **ès** animaux... ». On le trouve jusque dans des noms de villes, comme Riom-**ès**-Montagnes (dans les montagnes).

Évitez d'écrire : Ce n'est que de l'~~esbrouffe~~.
Écrivez plutôt : Ce n'est que de l'**esbroufe**.
Un **f** suffit, comme dans **esbroufer** et **esbroufeur**. Ce mot, d'origine provençale, s'est écrit jadis *esbrouf*, signifiant d'abord « coup de force ».

Évitez d'écrire : Ce~~tte~~ esclandre...
Écrivez plutôt : Ce**t esclandre**...
Substantif masculin, comme **méandre**, **palissandre** ou **scaphandre**. Attention ! au féminin, on a : **calandre**, **salamandre**, bien sûr, mais aussi **coriandre**. [« Coriandre moulue. »]

Écrivez (c'est selon) : U**n espace** – *ou* U**ne espace**.
Ce nom est masculin quand il désigne un écart, un volume, un intervalle, une étendue ; mais demeure féminin pour désigner, en termes d'imprimerie, le

blanc entre deux mots. [« Une espace moyenne, une espace fine. »]

Évitez d'écrire : Un espèce de plastique.
Écrivez plutôt : Une **espèce** de plastique.
Le substantif **espèce** est féminin et doit le rester même quand son complément déterminatif est, lui, masculin, comme ici « plastique ».

Évitez d'écrire : Étant données les conditions...
Écrivez plutôt : **Étant donné** les conditions...
L'accord se faisait encore voilà cinquante ans... (Voir, plus loin, **passé**.)

Évitez d'écrire : Ils étaient cent et quelque.
Écrivez plutôt : Ils étaient cent **et quelques**.
Autrement dit : cent... et quelques-uns de plus.

Évitez d'écrire : Livres, cassettes, disquettes, ect...
Écrivez plutôt : Livres, cassettes, disquettes, **etc.**
Abréviation de la locution latine (sans accents) **et cetera**, « et les autres choses », **etc.** ne doit pas se répéter, et ne prend qu'un seul point, car l'emploi des points de suspension, qui ont aussi le sens de « et la suite », ferait doublon. La graphie fautive « ect » vient de la mauvaise prononciation, assez répandue, « ec cétéra ».

Écrivez (c'est selon) : Les travaux que nous avons **eu** – *ou* **eus** – à effectuer...

Il y a ici une nuance que rend l'accord ou non du participe passé du verbe **avoir** avec le complément d'objet direct. Nous avions à effectuer ces travaux, ou bien nous avions ces travaux à effectuer ?

Évitez d'écrire : Vos promenades en Eure et Loire.
Écrivez plutôt : Vos promenades en **Eure-et-Loir**.

Pour s'épargner cette faute récurrente, quand on hésite sur la géographie de nos fleuves et rivières, il suffit de se rappeler, à propos d'**Eure-et-Loir, Loir-et-Cher, Indre-et-Loire, Maine-et-Loire, Saône-et-Loire**, que l'on doit trouver le même nombre de lettres de part et d'autre du **et** : quatre et quatre ou cinq et cinq. À noter, par ailleurs, que les noms des départements s'écrivent avec trait(s) d'union, sauf **Territoire de Belfort**. Et qu'il vaut mieux écrire et dire : « Les départements **du** Puy-de-Dôme, **de la** Charente-Maritime, **des** Alpes-de-Haute-Provence... », mais « **de** Loir-et-Cher, **de** Maine-et-Loire, **de** Meurthe-et-Moselle... », pour bien prendre en compte les deux entités accolées.

Évitez d'écrire : C'eut été dommage...
Écrivez plutôt : C'**eût** été dommage...

Cet accent circonflexe est propre à la 3e personne du singulier du plus-que-parfait du subjonctif [« Si

fatigué **qu'**il e**û**t été... »] ou, comme ici, du conditionnel passé 2ᵉ forme (la 1ʳᵉ forme donnerait : « Ç'**aurait**
été dommage... »). En revanche, à la 3ᵉ personne du singulier du passé simple ou du passé antérieur de l'indicatif, il n'y a jamais d'accent. [« Il f**u**t le vainqueur et
e**u**t les honneurs... » ; « Cela arriva quand l'autre e**u**t
été parti ».] Au passé simple, on trouve toujours
l'accent aux 1ʳᵉ et 2ᵉ personnes du pluriel. [« Nous
e**û**mes... vous f**û**tes... nous aim**â**mes... vous f**î**tes... »]

Écrivez (aussi bien) : C'est un **événement**... – *ou*
    un **évènement**...
Jusqu'aux années 1980, l'accent aigu était de rigueur.
Ad libitum aujourd'hui.

Évitez d'écrire : Il est possible que ceci excl<u>ut</u> cela.
Écrivez plutôt : Il est possible que ceci **exclue** cela.
Employer l'indicatif au détriment du subjonctif qui
serait seul correct est d'autant plus possible, pour
certains verbes, que nombre de leurs formes ne font
pas, à ces deux modes, entendre de différence à l'oral.
On n'écrira, par exemple, jamais : « Il est possible
que tu vas à New York », mais forcément « ... que tu
ailles à New York ». Donc, quand on hésite, il faut
remplacer le verbe à traiter par un autre, de nature
différente. De plus, retenons que **Il est possible**
(que)..., **Il est souhaitable...**, **Il est probable...**, **Il est**

heureux..., **Il est à craindre**..., induisent forcément le subjonctif, mode du doute, du souhait, de l'intention, de l'hésitation... En revanche, on aura l'indicatif (mode du réel, de l'accomplissement) après **Il est certain**..., **Il apparaît**..., **Il est évident**. [« Il est certain que ceci exclut cela. »]

Évitez d'écrire : La douleur peut e<u>xau</u>cer l'âme.
Écrivez plutôt : La douleur peut **exhausser** l'âme.
C'est aujourd'hui une faute grave que de confondre ces deux mots. Mais il faut savoir que **exaucer** (= « accéder à une demande » ; contenter – d'en haut) n'est qu'une variante de **exhausser** (« mettre plus haut, augmenter en hauteur ») intervenue au XVIe siècle. [« Sans doute la douleur peut-elle exhausser l'âme (?), mais qui ne souhaiterait pas qu'elle lui soit épargnée ? »]

Évitez d'écrire : Soyez ~~exigents~~, car ils sont
~~négligeants~~.
Écrivez plutôt : Soyez **exigeants**, car ils sont
négligents.
L'adjectif **exigeant(e)** – contrairement à la règle habituelle qui fait la terminaison de l'adjectif verbal différente de celle du participe présent [« En néglige**a**nt cet appel, vous vous révélez néglig**e**nt »] – conserve le **a**. Mais on écrit, avec **e** seulement, **exigence**

comme **négligence**, venus du latin *exigentia* et *negligentia*. (Voir, plus haut, **convaincant/convainquant** et, plus loin, **navigant/naviguant**.)

Évitez d'écrire : Un prix ~~exhorbitant~~...
Écrivez plutôt : Un prix **exorbitant**...
Cet adjectif est construit sur le latin *orbita*, « voie tracée » (→ **orbite**), précédé du préfixe **ex-**, « à l'extérieur de » ; il se passe donc bien de **h**... Mais **exhorter** (du verbe latin *hortari*) comme **exhortation** en prennent un.

Évitez d'écrire : C'est un ordre expr*ess*.
Écrivez plutôt : C'est un ordre **exprès**.
L'adjectif **exprès**, qui fait **expresse** au féminin [« Une interdiction expresse... »], a le sens de « formel(le) », de « nettement exprimé(e) ». À ne pas confondre avec l'adjectif invariable **exprès**, « remis dans le délai le plus court ». [« Un envoi exprès... une lettre exprès... »] (Jadis, un **exprès** était le nom donné à l'employé chargé d'acheminer l'envoi). Confusion également possible avec cet autre adjectif, tout aussi invariable : **express**, « qui assure une liaison rapide » ; par extension, « qui est fait rapidement ». [« Un train express... des voies express... » ; « Des préparations express... des cafés express... Un express, ou un expresso (de l'italien *espresso*)... ».]

Évitez d'écrire : Le premier des ~~fabriquants~~.
Écrivez plutôt : Le premier des **fabricants**.
Mais on doit écrire **trafiquant** (nom) comme le participe présent de **trafiquer**. (Voir aussi, plus loin, **navigant**.)

Évitez d'écrire : Elles se sont fait<u>es</u> l'écho d'une opinion qui s'était fait<u>e</u> jour, puis se sont fait<u>es</u> élire et se sont fa<u>it</u> les championnes de cette cause.
Écrivez plutôt : Elles se sont **fait** l'écho d'une opinion qui s'était **fait** jour, puis se sont **fait** élire et se sont **faites** les championnes de cette cause.
Cette phrase de circonstance pour illustrer ces cas où

le participe passé de **faire** (à la forme accidentellement pronominale) ne s'accorde jamais – dans les locutions **se faire l'écho** et **se faire jour** (graphies figées) et devant un **verbe à l'infinitif** –, puis ceux où il s'accorde, selon la règle propre à l'auxiliaire **avoir**, avec le complément d'objet direct (COD) placé devant lui : « **Elles se sont faites belles et se sont faites les porte-parole du groupe.** » Gardons-nous, ici, de prendre **belles** et **porte-parole** pour des COD : ils ne sont qu'attributs de **se** (COD mis pour **elles**). Et c'est bien ce pronom personnel, placé devant, qui répond à la question « quoi ? ». Elles ont fait quoi ? Réponse : elles ont fait elles-mêmes (**se**) « belles et porte-parole ».

Bien noter que, à sa forme simple, **faire** ne s'accorde jamais non plus devant un infinitif : « Les fautes que vous avez ~~faites~~/**fait** corriger... » C'est ici **corriger**, placé après, qui est COD de **faire**, **fautes** l'étant de **corriger**.

Pour s'assurer une bonne maîtrise des règles, on consultera avec profit, dans cette collection « Dicos d'or », *Accordez vos participes*, de Micheline Sommant.

Évitez d'écrire : Encore un p̲hantasme !
Écrivez plutôt : Encore un **fantasme** !
Fantasme (qui a donné **fantasmer**) vient de

fantôme ; donc, pourquoi compliquer ? Mais **phantasme** perdure dans les écrits propres à la psychanalyse.

Évitez d'écrire : Le soir, spectacle ~~féérique~~.
Écrivez plutôt : Le soir, spectacle **féerique**.
On doit trouver **fée** dans **féerique**. Donc, pourquoi deux accents ? Par ailleurs, on écrit « un conte de **fées** » (pluriel).

Évitez d'écrire : Feu~~es~~ nos belles années...
Écrivez plutôt : **Feu** nos belles années...
Cet adjectif, du latin populaire *fatutus*, « qui a accompli son destin » (de *fatum*), retrouve du lustre dans les médias, de nos jours, sur le mode plaisant. Il ne doit s'accorder que s'il est précédé d'un article défini ou d'un adjectif possessif, voire démonstratif. [« Les feues prétendantes... » ; « Nos feus grands-oncles... »] Sinon, l'invariabilité est de rigueur. [« *Feu la mère de Madame*, de Feydeau. »]

Évitez d'écrire : Fo~~nd~~ de commerce à vendre.
Écrivez plutôt : **Fonds** de commerce à vendre.
Voici deux variantes, distinguées par le sens, du même mot latin, *fundus*. On écrit **fond** (partie basse, lointaine, profonde, fondamentale...) à propos aussi bien d'un tiroir, d'un couloir, d'un puits que d'un

tableau, d'une étoffe, d'une doctrine ou de la person-
nalité de quelqu'un... On écrit **fonds** (propriété, capi-
tal, ensemble...) quand ce nom concerne le commerce, la finance, la santé, des productions ou des
archives... [« En fond de tableau » ; « Le fond et la
forme » ; « Un fond de sauce » ; « Le fond même de
la personne » ; « Avoir bon fond » ; « Au fin fond des
bois ». Mais : « Un bien-fonds » ; « Un fonds de pla-
cement... de pension... » ; « À fonds perd**u** » ; « Le
fonds d'une maison d'édition » ; « Vous avez un
fonds de santé admirable (Molière) ».]
Attention au **tréfonds** (« de soi-même », par exemple) ! Ce nom, employé au figuré, désigne, à l'origine, un sous-sol possédé comme un **fonds**, un bien.

Évitez d'écrire : Sur les fon<u>ds</u> baptismaux...
Écrivez plutôt : Sur les **fonts** baptismaux...
Au sens figuré, on porte – ou l'on tient – une entreprise, une aventure, une fondation sur les fonts baptismaux (du latin *fons, fontis,* d'où aussi **fontaine**),
par analogie avec la présentation, dans une église,
au-dessus du bassin du baptistère, de l'enfant à bap-
tiser.

Évitez d'écrire : « Tout est perdu, f<u>or</u> l'honneur. »
Écrivez plutôt : « Tout est perdu, **fors** l'honneur. »
Cette citation attribuée à François Ier (à l'issue de la

défaite de Pavie), et de nos jours usitée plaisamment, permet de rappeler que cet adverbe **fors** (du latin *foris*, « dehors » → « excepté ») ne s'écrit pas comme notre **for** intérieur, du latin *forum*, « tribunal (de la conscience) ». C'est quand même fort !

Évitez d'écrire : Chargement du ~~frêt~~.
Écrivez plutôt : Chargement du **fret**.
Chassons cet accent qui souvent orne malencontreusement ce mot, lequel vient du néerlandais *vrecht*, et dont le verbe dérivé s'écrit **fréter**. [« Je frète... nous frétons... Il affrète... »]

Évitez d'écrire : Des robes couleur ~~fuschia~~
Écrivez plutôt : Des robes couleur **fuchsia**
La coquille est fréquente... C'est un certain **Fuchs**, botaniste bavarois du XVIe siècle, qui a laissé son nom à l'arbrisseau aux fleurs pourpres ou roses à partir duquel on a fait l'adjectif de couleur (invariable) **fuchsia**.

Évitez d'écrire : Défilé des fusi~~llés~~ marins.
Écrivez plutôt : Défilé des **fusiliers** marins.
Ces **fusiliers**-là portent un fusil... Ce ne sont pas des marins fusillés.

Évitez d'écrire : Fût-ce un baroud d'honneur ?
Écrivez plutôt : **Fut-ce** un baroud d'honneur ?

Dans cette forme interrogative, nous sommes à la 3ᵉ personne du singulier du passé simple de l'indicatif, et non à l'imparfait du subjonctif : donc pas d'accent. On peut le vérifier en changeant de temps : « Était-ce un baroud d'honneur ? »

Évitez d'écrire : Il fallait écouter, ~~ne fusse~~ que par
        principe.
Écrivez plutôt : Il fallait écouter, ne **fût-ce** que par
        principe.
Disons-nous : « ... ne serait-ce que par principe », et nous ne risquerons pas d'employer « fusse », forme de la 1ʳᵉ personne du subjonctif imparfait.

Évitez d'écrire : F~~ut~~-il arrivé plus tôt qu'il n'e~~ut~~
        quand même rien compris.
Écrivez plutôt : **Fût-il** arrivé plus tôt qu'**il n'eût**
        quand même rien compris.
Nous sommes au conditionnel passé 2ᵉ forme. Au passé 1ʳᵉ forme, on écrirait : « Serait-il arrivé... qu'il n'aurait quand même... »

g

Écrivez (c'est selon) : Les **garde**-côtes... – *ou*
gard**es**-côtes...

Veut-on parler de petits bâtiments de guerre – ou de
simples embarcations – affectés à la défense, à la
surveillance des côtes ? Alors, **garde** ne varie pas
(c'est un verbe). S'il s'agit d'hommes (ou de femmes) d'une unité spécialisée dans cette surveillance,
le **s** s'impose (c'est un nom).

Évitez d'écrire : Vente de ~~gauffres~~.
Écrivez plutôt : Vente de **gaufres**.

Les deux **f** sont courants sur les ardoises des crêperies. Or l'ancien francique *wafla*, « rayon de miel »,
a donné, en ancien français, *walfre :* déjà avec un

seul **f**. De la même famille : **gaufrer**, **gaufrette**, **gaufrier**...

Évitez d'écrire : Sacr<u>és</u> gens, quand même !
Écrivez plutôt : Sacré**es gens**, quand même !
Le genre du substantif **gens** tient du caprice. Il est masculin s'il est suivi d'un adjectif [« Des gens compétents... »] ou s'il est précédé d'un adjectif mis en apposition [« Compétents, ces gens le sont... »]. Mais il devient féminin si l'adjectif qui le précède est une simple épithète. [« De vieilles gens, de petites gens... »] Attention ! Au masculin « Tous ces gens heureux... » « Toutes les bonnes gens aperçues ».

Évitez d'écrire : De l'avenue Georg<u>es</u> V à la rue
        Georg<u>es</u> Sand...
Écrivez plutôt : De l'avenue **George-V** à la rue
        George-Sand...
Tel qu'au masculin en anglais, ce prénom ne prend pas de **s** en français quand il est porté par une femme, comme l'ancienne ministre des Sports Marie-George Buffet.
Profitons ici de l'occasion pour nous rappeler que notre tradition typographique impose des traits d'union aux noms composés de voies de circulation, de parcs, d'écoles, d'églises, de théâtres, etc. (Voir, plus loin, **Martyrs-de-Châteaubriant**.)

Évitez d'écrire : Qui veut peigner la ~~giraffe~~ ?
Écrivez plutôt : Qui veut peigner la **girafe** ?
C'est en anglais que ce mot prend deux **f**.

Évitez d'écrire : Le sens ~~gyratoire~~ est à emprunter ~~girophares~~ allumés.
Écrivez plutôt : Le sens **giratoire** est à emprunter **gyrophares** allumés.
Du bas latin *gyrare*, « faire tourner », qui a fini par donner *girer* (→ **girouette**), **giratoire** (circulaire) ne peut se confondre, quant à l'orthographe, avec **gyrophare** (grec *guros*, « cercle »), cette lanterne rotative (dans un boîtier rond) des véhicules prioritaires.

Évitez d'écrire : Direction, une vallée glac**ière**...
Écrivez plutôt : Direction, une vallée **glaciaire**..
La faute ne se commettrait-elle pas surtout sous l'influence du mot **ère**, souvent accolé (« ère glaciaire ») ? **Glaciaire** (**glaciation**...), comme adjectif ou nom (**le glaciaire**), fait sa terminaison comme **précaire** ou **planétaire**, et le substantif féminin **glacière** la fait comme **cafetière** ou **sorbetière**. Cela dit, les deux mots viennent de **gel**.

Évitez d'écrire : Rien ne colle comme la ~~glue~~.
Écrivez plutôt : Rien ne colle comme la **glu**.
Glu vient du latin *glus*, « colle ». Le **e** n'est licite

que dans le nom d'une célèbre marque de colle forte car il s'agit d'une marque anglaise.

Écrivez (aussi bien) : De la **gnôle** – *ou* **gniole** – *ou* **gnaule** – *ou* **niôle**...

À notre santé !... Quatre orthographes pour un même mot, c'est suffisamment rare, en français, pour être noté.

Évitez d'écrire : Grande messe à 11 heures.

Écrivez plutôt : **Grand-messe** à 11 heures.

L'élément figé de composition **grand-,** qui a relégué la forme **grand'** d'autrefois, entre dans nombre de noms, tant masculins que féminins, comme **grand-mère (-père), grand-tante (-oncle), grand-route (-rue), grand-voile, grand-croix,** [à] **grand-peine,** [avoir] **grand-soif**... Au pluriel, on écrira bien **grands-croix** (personnes) – **grand-croix** (distinctions) –, **grands-pères, grands-oncles,** mais on peut encore préférer **grand** invariable dans les noms féminins : **grand(s)-mères, grand(s)-voiles**...

Attention ! on écrit sans trait d'union et avec accord des deux mots au pluriel : **grand chancelier, grand maître, grand officier, grand prêtre, grand vizir, grand prix, grand duc** (le hibou), mais **grand-duc** et **grande-duchesse** (souverains).

Évitez d'écrire : U~~ne~~ granule...
Écrivez plutôt : U**n granule**...
Comme **un opercule, un ovule, un tentacule, un testicule, un tubercule**... Mais **une campanule**...

Évitez d'écrire : ~~Grêve~~ sans ~~trève~~.
Écrivez plutôt : **Grève** sans **trêve**.
On sait au moins que **grève** vient de la place de Grève, à Paris (aujourd'hui place de l'Hôtel-de-Ville), où jadis les ouvriers qui « attendaient de l'ouvrage » stationnaient : ils étaient donc « en grève ». Quant à l'accent circonflexe de **trêve**, il aurait à voir avec le *eu* du francique *treuwa*.

Évitez d'écrire : Ici, viande cuite au gri~~ll~~.
Écrivez plutôt : Ici, viande cuite au **gril**.
L'anglicisme **grill**, désignant un restaurant qui sert surtout des plats de viande grillée, ne peut faire oublier que le mot français **gril** (forme masculine de **grille**) s'applique, lui, à l'instrument de cuisine permettant une cuisson à feu vif. Au figuré : « Mettre quelqu'un sur **le gril** » = lui poser des questions embarrassantes à répétition.

Évitez d'écrire : La peau trop ~~halée~~ à force de ~~hâler~~
    ces foutus bateaux.

Écrivez plutôt : La peau trop **hâlée** à force de **haler**
ces foutus bateaux.

Le **hâle** (de la peau) nous vient en direct de *hasle*
(accent à la place du **s**). Cela dit, les deux verbes
trouvent leur origine dans le néerlandais : **hâler**, de
hael, « desséché » → « brunir » ; **haler**, de *halen*
→ « tirer ».

Évitez d'écrire : C'est un ~~hâvre~~ de paix.

Écrivez plutôt : C'est un **havre** de paix.

Le mot vient du moyen néerlandais *havene,* « abri ».
L'accent fautif se remarque bien souvent. Même pour

la ville du **Havre**, qui doit, bien sûr, son nom au havre qu'a d'abord constitué son port.

Évitez d'écrire : Henri Salvador, hér__os__ de la chanson française.
Écrivez plutôt : Henri Salvador, **héraut** de la chanson française.

On peut être le **héraut** (= annonciateur, messager) d'une cause, d'une doctrine, d'un art – les fonctions du héraut (ou héraut d'armes), au Moyen Âge, étaient la transmission des messages, les proclamations solennelles... – sans pour autant, bien sûr, en être un héros (personne faisant montre d'héroïsme). Mais on écrira très justement, et par extension : « Le héros (l'héroïne) d'un film, d'un roman... », à propos du personnage qui y tient le rôle principal.

Évitez d'écrire : A-t-on toujours l'heu__re__ de plaire ?
Écrivez plutôt : A-t-on toujours l'**heur** de plaire ?

Du latin *augurium*, ce nom ne s'emploie plus guère que dans la locution **avoir l'heur** (« avoir la chance »). Il a donné **heureux**, comme **malheur** a fait **malheureux**. Autre homonyme : **heurt** (« heurter »).

Écrivez (c'est selon) : Lyon et Beaune sous de bons **auspices** – *ou (pourquoi pas ?)* sous de bons **hospices**.

Voilà un exemple de titre dit « incitatif » relevé dans la presse. Pour obtenir cet effet, les journalistes aiment à jouer avec les homonymes. Dans cet exemple, les **auspices** (oracles, signes, protections) auxquels on pourrait s'attendre ont cédé la place aux **hospices**... de Lyon (anciens et célèbres hôpitaux publics) comme de Beaune (emblématique hôtel-Dieu – hôpital médiéval – où chaque année a lieu une vente de vins sublimes). Comme **hospice, auspices** est masculin (toujours pluriel).

Évitez d'écrire : Mangez des ~~huitres~~.
Écrivez plutôt : Mangez des **huîtres**.
Pauvre accent ! il est souvent oublié. Pourtant, comme trace du **s** de l'ancien français, il s'impose évidemment pour ce nom qui, au XIIIᵉ siècle, est apparu sous la forme *uistre* (ou *oistre*), et dont *le Petit Robert* nous dit qu'on lui a ajouté « un **h** pour éviter la confusion avec *vistre* ».

Évitez d'écrire : <u>Un</u> hydre.
Écrivez plutôt : Une **hydre.**
Du latin *hydra*, « eau », mais d'origine grecque, ce nom d'un animal fabuleux qui incarnait un redoutable danger a induit le sens figuré bien connu de « mal qui se renouvelle en dépit des combats menés contre lui » : l'hydre de Lerne avait sept têtes qui

repoussaient sitôt coupées. [« L'hydre de la guerre, du terrorisme, du racisme. »]

Évitez d'écrire : <u>Un</u> hymne religie<u>ux</u>.
Écrivez plutôt : Un**e hymne** religieu**se**.
Du grec *humnos*, **hymne** a pris les deux genres pour désigner, d'une part (au masculin), un chant à la gloire des héros ou de la patrie [« *La Marseillaise*, notre hymne national »] et, d'autre part (au féminin), dans la liturgie catholique, un chant de louange au cours des offices, tel le *Te Deum*.

Évitez d'écrire : Laissez-vous ~~hynoptiser~~
Écrivez plutôt : Laissez-vous **hypnotiser**.
Bien conserver à l'esprit **hypnose** (imprononçable autrement).

Évitez d'écrire : De plus en plus
    d'~~hippocondriaques~~ ?
Écrivez plutôt : De plus en plus
    d'**hypocondriaques** ?
Ne surtout pas confondre les éléments grecs *hippo* (*hippos*, « cheval ») et *hupo*, « au-dessous ». Un **hypocondriaque** souffre d'**hypocondrie** (inquiétude exagérée au sujet de sa santé, et dont on a pu penser qu'elle avait son origine dans les **hypocondres** – *sous* les côtes). [« Hippolyte (*prénom signifiant "conduc-*

teur de chevaux"), avant de gagner l'hippodrome, nous amena à notre hypokhâgne en voiture hippomobile, avant de calmer son hypoglycémie due à une nourriture hypocalorique. »]

Évitez d'écrire : <u>Un</u> icône.

Écrivez plutôt : Un**e icône**.

Féminin autant pour le symbole graphique de logiciel informatique que pour l'image sacrée des chrétiens orientaux (du grec byzantin *eikona*). C'est du moins ce que nous indique *le Petit Larousse illustré*. Seulement voilà, côté informatique *le Petit Robert*, très branché sur ce coup-là, nous fait **icone** (sans accent) au masculin (de l'anglais *icon*).

Évitez d'écrire : Elle n'est pas ~~ignarde~~.

Écrivez plutôt : Elle n'est pas **ignare**.

Du latin *ignarus*, « qui ne sait pas », ce mot (nom ou

adjectif) s'écrit donc **ignare** au féminin comme au masculin.

Évitez d'écrire : Il n'est pas sûr qu'il <u>faut</u> écrire.
Écrivez plutôt : **Il n'est pas sûr qu**'il faille écrire.
S'il n'est pas certain, c'est qu'il y a doute ; or le doute appelle le subjonctif. En revanche, on écrirait forcément : « il est certain **qu'il faut** agir » (l'indicatif est le mode du réel, de l'affirmation...). Même différence – mais à front renversé entre formes positive et négative – avec « il est douteux **qu'il vienne** demain » et « il n'est pas douteux **qu'il viendra** demain ».

Évitez d'écrire : Comme un ~~ilôt~~...
Écrivez plutôt : Comme un **îlot**...
Cette coquille n'est plus rare. Pourtant, **île** (de *isle*) ne peut donner que **îlot** ! L'influence d'un nom de marque, en alimentation, graphiquement proche et comportant un gros **ô,** n'y est peut-être pas pour rien.

Écrivez (selon) : **Il semble qu**'ils so**ient** – *ou*
      so**nt** – d'accord.
Il s'agit ici d'un choix d'énonciation : avec le subjonctif (forme de loin la plus fréquente), le fait n'est pas considéré comme acquis. Avec l'indicatif, selon toute apparence, le fait est avéré.

Évitez d'écrire : Peut-on parler ici d'~~imbécilité~~ ?
Écrivez plutôt : Peut-on parler ici d'**imbécillité ?**
Pourquoi **tranquille** et **tranquillité, agile** et **agilité,**
mais **imbécile** et **imbécillité** ? Parce que l'Académie
française, dans son dictionnaire de 1798, voulut dans
imbécile (pourtant du latin *imbecillus*) un seul **l**, pour
éviter, disent des linguistes, que l'on prononçât la
terminaison de ce mot comme dans **aiguille**. Mais
imbécillité ne suivit pas...

Évitez d'écrire : C'est une ~~immixion~~ dans nos
    affaires !
Écrivez plutôt : C'est une **immixtion** dans nos
    affaires !
Une **immixtion** est le fait de s'immiscer dans quelque
chose qui dépend d'autrui. Le mot vient du bas latin
immixtio. (Voir, plus loin, **mixtion,** « mélange », à ne
pas confondre avec **miction.**)

Évitez d'écrire : Le service est ~~inclu~~.
Écrivez plutôt : Le service est **inclus.**
Étonnement orthographique : **inclusion** et **inclus**(e),
mais **exclusion** et **exclu**(e).

Évitez d'écrire : C'est une ~~infâmie~~ !
Écrivez plutôt : C'est une **infamie !**
L'accent propre à **infâme** n'existe plus ni pour **infa-**

mie ni pour **infamant**. D'autres mots et leurs dérivés sont soumis à cette différence : **cône** et **conique**, **drôle** et **drolatique**, **fantôme** et **fantomatique**, **symptôme** et **symptomatique**... ou encore **grâce** et **gracieux/gracile**...

Évitez d'écrire : Connaître les signes de l'~~infractus~~...
Écrivez plutôt : Connaître les signes de l'**infarctus**...
À force de mal prononcer ce mot, hélas trop courant, on risque de mal l'écrire. Il faut voir en lui le verbe latin *infarcire*, « farcir ». Un tissu vivant, comme le myocarde, atteint d'**infarctus** est **infarci**.

Évitez d'écrire : ~~Inocuité~~ du produit assurée.
Écrivez plutôt : **Innocuité** du produit assurée.
On ne met deux **n** aux mots commençant par le préfixe **in-** que si leur radical commence par un **n**. Ce qui, par exemple, donne **innocuité**, comme **innocent** (le **n** de **in-** et celui de **nuire**, du latin *nocere*), **inner-ver** (le **n** de **in-** et celui de **nerf**), **innommé**, **innovation**, etc. Mais un seul **n** pour **inondation** (le radical est **onde**), **inodore** (**odeur**), **inacceptable**, **inimaginable**, **inoccupé**, etc.

Évitez d'écrire : ~~Inserrer~~ ici le ticket.
Écrivez plutôt : **Insérer** ici le ticket.
L'erreur serait de vouloir retrouver **serrer** dans

insérer. Il faut y voir **sens**, à propos de l'introduction d'une chose entre d'autres. [« Insérer un encart, un communiqué, un avenant... » ; « S'insérer dans la marche des choses... ».]

Évitez d'écrire : ~~Insuflez~~ du sens à l'orthographe !
Écrivez plutôt : **Insufflez** du sens à l'orthographe !
Ce verbe nous vient de **enfler**. Il a donné comme noms dérivés **insufflation** et **insufflateur**, bien sûr apparentés à **souffler**. Ce qui permet de rappeler ici que les mots des familles de **souffler** et de **siffler** font leur terminaison en **-ffl**. Exceptions : **boursoufler, persifler**.

Évitez d'écrire : Des suspects interpe<u>l</u>és...
Écrivez plutôt : Des suspects **interpellés**...
À la différence d'**appeler** (qui donne « J'app**ell**e », mais « nous app**el**ons... nous sommes app**el**és... ») ou de **ciseler** (qui fait « Je cis**èl**e... nous cis**el**ons... »), le verbe **interpeller** prend deux **l** (sans accent sur le **e** qui les précède) à toutes les personnes de la conjugaison. [« j'interp**ell**e... nous interp**ell**ons... j'interp**ell**erai/s... il a été interp**ell**é ».]

Évitez d'écrire : U<u>ne</u> intervalle.
Écrivez plutôt : U**n intervalle**.
Au XIIe siècle, c'était *un entreval*.

Évitez d'écrire : Un interview intéressant...
Écrivez plutôt : Une **interview** intéressante...
Auparavant toujours féminin, **interview** est désormais accepté comme masculin dans certains dictionnaires, sous l'influence d'une dérive de l'usage oral. À noter quand même que ce mot anglais vient du nom féminin français **entrevue**.

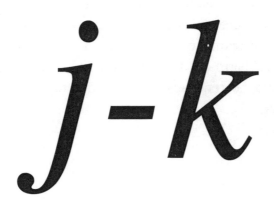

Évitez d'écrire : Faites-vous des cheveux de <u>geai</u>...
Écrivez plutôt : Faites-vous des cheveux de **jais**.
Sous l'influence, disent les lexicographes, de « noir comme un corbeau », on a écrit naguère « noir comme le geai ». Or le plumage du **geai** est brun clair et bleu. Tout le monde s'accorde aujourd'hui sur « noir comme du **jais** » (substance bitumineuse d'un beau noir brillant). [« Un collier assorti à des cheveux noir de jais... »] Remarquons ici l'invariabilité de « noir », qui obéit aux règles d'accord des adjectifs de couleur. (Voir, plus haut, **blanc et noir**.)

Évitez d'écrire : Consommation en ~~kilowatts-heure~~.
Écrivez plutôt : Consommation en **kilowattheures**.

Ce nom n'a pas du tout le sens de « kilowatts par heure », à la manière de « kilomètres à l'heure (km/h) ». Il est relatif au travail accompli durant une heure avec une puissance de 1 kilowatt. Attention, surtout, au symbole **kWh**, lequel ne doit pas comporter de barre de fraction (~~kW/h~~). Comme quoi l'orthographe rend aussi compte des réalités de la physique.

l

Évitez d'écrire : Présentation des laiss<u>er</u>-passer.
Écrivez plutôt : Présentation des **laissez-passer**.
C'est l'impératif qui a été repris dans ce nom composé invariable, tel qu'il figure sur un coupe-file permettant de franchir des barrages officiels. Mais le double infinitif s'impose pour **laisser-aller** et **laisser-faire** (simple constat).

Évitez d'écrire : La plupart des gens en rê<u>ve</u>.
Écrivez plutôt : **La plupart** des gens en rê**vent**.
Après **la plupart, quantité de, beaucoup de, trop de**... le verbe s'accorde, en principe, avec le complément déterminatif. [« Trop de personnes le savent, et quantité d'animaux en sont victimes. »]

Après des noms collectifs comme **foule**, **groupe**, **nombre**, **troupe**, **centaine**, **millier**... précédés de **un/e**, l'accord se fait au singulier ou au pluriel, selon que c'est le collectif ou son complément qui doit frapper l'esprit. [« Une foule d'étudiants manifeste » (c'est le grand nombre qui est visé) ; « Une centaine de personnes ont été soignées »] (ce sont les personnes qu'on a soignées). Si ces noms sont précédés de **le/la**, **ce/cet/cette**, **son/sa**, l'accord se fait généralement au singulier. [« Le groupe d'enfants est arrivé » ; « Son millier de partisans s'est fait entendre ».]

Évitez d'écrire : Le ~~larinx~~ et le ~~pharinx~~ du ~~linx~~, comme... du ~~sphynx~~.
Écrivez plutôt : Le **larynx** et le **pharynx** du **lynx**, comme... du **sphinx**.
Larynx et **pharynx** viennent du grec *larugx,* « gosier », et *pharugx*, « gorge ». Comme **lynx** vient de *lugx*, « luisant ». En français, le *y* a pris la place du υ (upsilon) grec. Mais on écrit **sphinx** (en grec, déjà *sphinx*) ; forme féminine : **sphinge**.

Évitez d'écrire : Le ~~laurier thym~~ en fleur...
Écrivez plutôt : Le **laurier-tin** en fleur...
Le bouquet de laurier et de thym, pour assaisonnement, c'est un classique... Mais oublions-le ici ! Ce

tin-là – le laurier-tin est une espèce de viorne – vient du latin *tinus*.

Évitez d'écrire : Le plus beau que nous a<u>vo</u>ns
    jamais vu.
Écrivez plutôt : **Le plus** beau **que** nous ayons
    jamais vu.
Ce **jamais**-là exprime un sens positif (en un moment quelconque) : il n'est pas précédé de la négation et induit le subjonctif après la conjonction **que**. En l'absence de **que**, mais toujours positivement, dans des formes plutôt littéraires, c'est l'indicatif qui convient. [« Si vous m'aimez jamais, montrez-le » ; « C'est une œuvre parfaite s'il en fut jamais *(passé simple)* ».] Forme négative avec l'indicatif : « Ces œuvres que nous n'avons jamais vues... »

Évitez d'écrire : Le plus de participants possibl<u>es</u>.
Écrivez plutôt : **Le plus** de participants **possible**.
Le sens, ici, c'est « le plus possible de participants, autant qu'il est possible ». L'adjectif **possible** n'est donc pas épithète de **participants** ! Mais il l'est, par exemple, de **indices** dans « recherche de tous les indices possibles ».

Écrivez (c'est selon) : **Le seul qui** nous **ait** – *ou* **a** –
    dit oui...

À la suite de **le seul**, **la seule**, **les seul(e)s**, le subjonctif atténue l'énonciation, ce qui est souvent nécessaire (il reste alors une possibilité que ce ne soit pas vraiment le seul...), alors que l'indicatif, lui, la pose comme certaine. Le même raisonnement s'applique avec **que**. Exemple : « Le seul **que** nous ayons, que nous avons vu. » Par ailleurs, quand il ne s'agit que d'une possibilité, c'est le conditionnel qui convient. [« Le seul qui nous **aurait** dit oui... »]

Écrivez (c'est selon) : Ces enfants et **leur** mère – *ou* **leurs** mères...

C'est le sens qui oblige soit au singulier (ces enfants-là constituent une fratrie, donc une seule mère), soit au pluriel (ils sont de familles différentes, donc plusieurs mères).

Pour accorder **leur** avec intelligence, il faut donc déterminer si l'on a affaire à :

– *une idée collective*. La possession est partagée, sur un même mode, par tous les possesseurs. [« Les hommes face à leur condition mortelle. »]

– *une idée distributive*. La possession concerne chacun, mais peut se différencier. [« Ils regagnèrent leurs maisons » (chacun la sienne). S'ils habitent ensemble : « ... leur maison ». « Ils s'engouffrèrent dans leurs voitures » (plusieurs véhicules) ;

« dans leur voiture » (un seul véhicule pour eux tous).]

Si chaque possesseur détient en propre le ou les objets désignés, l'usage hésite [« Elles portent leur robe – *ou* leurs robes – du soir avec élégance »], selon que l'accent est mis sur la possession individuelle ou sur la multiplicité et la variété de ces objets.

À la suite de **chacun**, il vaut bien mieux employer **son** ou **sa** que **leur**. [« Ils partiront chacun de son côté. »]

Écrivez, dans des noms de ville (c'est selon) : **-lès-**
   ou **-les-**

Voilà toute la différence entre, par exemple, Villeneuve-lès-Avignon ou Garges-lès-Gonesse et Montceau-les-Mines ou Bormes-les-Mimosas. La préposition **lès** (forme ancienne : **lez**, du latin *latus*, « côté ») signifie près de... Autrement dit, Villeneuve à côté d'Avignon et Garges proche de Gonesse. L'article défini **les** signale une relation avec une particularité de la ville (des mines, autrefois, à Montceau et cette végétation d'origine tropicale du genre acacia à Bormes).

Évitez d'écrire : La ~~Lybie~~ vous attend.
Écrivez plutôt : La **Libye** vous attend.

La coquille est archifréquente. Mais c'est comme dans l'alphabet : le **i** vient avant le **y**.

Évitez d'écrire : À bord des long~~s~~ courriers...
Écrivez plutôt : À bord des **long-courriers**...
Comme les pluriels **moyen-courriers** et **court-courriers** (avec trait d'union)... Ce ne sont pas les appareils qui seraient longs, moyens ou courts. C'est leur vol qui est, ou non, au long cours. D'où l'emploi adverbial de ces adjectifs.

Évitez d'écrire : ~~Lorsqu'à~~ la suite d'un orage le soleil revient, et ~~puisqu'~~avec lui tout va mieux, ~~parce qu'~~avant tout sa chaleur c'est la vie...
Écrivez plutôt : **Lorsque à** la suite d'un orage le soleil revient, et **puisque a**vec lui tout va mieux, **parce que a**vant tout sa chaleur c'est la vie...
Lorsque et **puisque** ne s'élident que devant **il**(s), **elle**(s), **on**, **un**(e), **en**. (Voir plus loin, **presque** et **quelque**.)

Évitez d'écrire : Et vive les ~~loosers~~ !
Écrivez plutôt : Et vive les **losers** !
Ce mot anglais, très à l'aise dans les milieux branchés – pour « perdant », « raté » –, est souvent écrit fautivement, avec deux **o**, sans doute sous l'influence de sa prononciation.

Évitez d'écrire : Ils ~~lirent~~ leur texte avec brio.

Écrivez plutôt : Ils **lurent** leur texte avec brio.

Voilà, au passé simple, un barbarisme qui fait pendant à celui qui consiste à écrire « Ils cousurent » pour **Ils cousirent.** (Voir plus haut.)

m

Évitez d'écrire : Dégustez notre ~~maigret~~ de canard.
Écrivez plutôt : Dégustez notre **magret** de canard.
Il faut oser cette faute dans la carte de tel ou tel restaurant qui n'est pourtant pas une gargote. Eh bien, ça s'est vu. Comme « casserolette » en lieu et place de **cassolette**. Ou « mironton » pour **miroton**.

Évitez d'écrire : Avoir la ~~main mise~~ sur tout un
    secteur...
Écrivez plutôt : Avoir la **mainmise** sur tout un
    secteur...
Ce mot (attesté en 1342 et demeuré figé, sans même de trait d'union) pour désigner l'action d'une personne, d'une entreprise ou d'une organisation qui a

mis la main – a fait main basse – sur quelque chose. On écrit aussi en un seul mot **mainlevée** (acte juridique mettant fin à une saisie ou à une hypothèque). De même que **mainmorte** (en droit, les biens de mainmorte sont inaliénables). Mais « ne pas y aller **de main morte** ». (Voir aussi, plus haut, **en main**.)

Évitez d'écrire : C'était lui le maître de s<u>éant</u>.
Écrivez plutôt : C'était lui le **maître de céans**.
Céans = ici, en ces lieux → « maître de maison ». Le mot est fait de **çà** et de l'ancien français *enz*, « dedans », du latin *intus*, « à l'intérieur ». La confusion n'est pas permise avec **séant**, substantif vieilli désignant soit la position assise, soit le postérieur [« Se dresser sur son séant... »] ; ou adjectif verbal, signifiant « convenable », et participe présent de **seoir** (« Il sied... »). Variante moderne : **seyant**, « qui va bien ».

Évitez d'écrire : Maître de conféren<u>ce</u> à la Sorbonne.
Écrivez plutôt : **Maître de conférences** à la Sorbonne.
Comme **maître d'armes**, **maître de chais**, **maître de forges**. Mais le singulier va bien pour **maître d'étude** (ou alors **des études**) et **maître d'équipage**.

Évitez d'écrire : Aux fourneaux, le maître que<u>ue</u>.
Écrivez plutôt : Aux fourneaux, le **maître queux**.
Écrire « un maître queue » à propos d'un grand nom de la cuisine serait du plus mauvais effet. **Queux** vient tout simplement du latin *coquus*, « cuisinier », de *coquere*, « cuire ».

Évitez d'écrire : Des influences ma<u>line</u>s par nature...
Écrivez plutôt : Des influences **malignes** par nature...
Adjectif et substantif, le mot **malin**, dans ses quatre acceptions – 1. qui a de la malignité, est nuisible, comme le Malin (Satan) ; 2. rusé, fin, habile (« Malin comme un singe ») ; 3. dangereux, néfaste, maléfique (« Un nodule malin ») ; 4. astucieux, ingénieux (« C'est un truc malin ») – fait au féminin **maligne** (comme **bénin/bénigne**), selon son origine latine (*malignus*, « méchant »). La forme, familière, **maline** ne peut s'employer, et plutôt à l'oral, que sur le mode plaisant, pour désigner ou qualifier une femme malicieuse, astucieuse (« Ah ! celle-ci, c'est une maline »).

Écrivez (c'est selon) : Ils ont été **maltraités** – *ou* **mal traités**...
Le verbe **maltraiter** existe, évidemment (c'est « infliger de mauvais traitements », « traiter durement »), et son participe passé ne demande qu'à

servir. [« Combien d'enfants maltraités (victimes de la maltraitance) ? » ; « Un auteur maltraité par la critique... ».] Mais les mots **traiter mal** inversés ont aussi leur emploi. [« Ces questions de cours ont été mal traitées » ; « Une maladie toujours fort mal traitée (*sans le moindre bon traitement médical*...) en Afrique ».]

Il en est également ainsi de **malappris / mal appris ; malpoli / mal poli ; malvenu / mal venu ;** ou de **mal-aimé** (!) **/ mal aimé ; mal-logé / mal logé**... Toujours en un seul mot : **malaisé, malcommode, malentendant, malgracieux, malhabile, malodorant, malpropre, malsonnant, malveillant, malvoyant**...

Évitez d'écrire : Éternelle ~~Marylin~~ Monroe...
Écrivez plutôt : Éternelle **Marilyn** Monroe...
Fréquente coquille dans les publications non soignées, due à la proximité du prénom anglo-américain **Mary.**

Évitez d'écrire : Sous la Quatrième, la valse des
    Marocains...
Écrivez plutôt : Sous la Quatrième, la valse des
    maroquins...
Combien de jeunes clavistes, dans les journaux par exemple, peuvent-elles d'emblée appliquer sa bonne

graphie à ce mot, employé ici pour « portefeuilles ministériels » ?... Sous la IVe République, dans les années 1950, les changements de gouvernement étaient monnaie courante.

Évitez d'écrire : On ~~martelle~~ les phrases.
Écrivez plutôt : On **martèle** les phrases.
Attention à ces verbes en *-eler* qui se différencient dans leur terminaison au présent et au futur de l'indicatif, comme au présent du subjonctif et au conditionnel. **Déceler, ciseler, démanteler, écarteler, geler, marteler, modeler, peler** font : « Je décèle... tu cisèleras... nous modèlerons... qu'il démantèle... » Alors que les verbes du type de **appeler** (comme **amonceler, chanceler** ou **craqueler**) doublent leur l (sans accent avant) : « J'appelle... tu amoncelleras/rais... qu'il chancelle... » (Voir, plus haut, **interpellés**.)
Même chose pour les verbes en *-eter*. Par exemple, d'une part, **acheter, corseter, crocheter, fureter, haleter** : « J'achète... tu halèterais (si)... » Par ailleurs, les verbes du type de **jeter** (comme **moucheter, marqueter** ou **trompeter**) : « Je jette... il marquettera... »
Bien sûr, quand le **e** est prononcé fermé (1re et 2e personnes du pluriel), il ne faut qu'un seul l ou un

seul **t**, non précédé d'accent. [« Nous appelons... vous ciselez... nous jetons... vous achetez... »]

Dans les dictionnaires usuels, après chaque entrée de verbe, un renvoi oriente vers la conjugaison applicable, donnée dans des tableaux synoptiques en début ou en fin d'ouvrage. Il existe, par ailleurs, d'excellents guides de conjugaison.

Évitez d'écrire : Boulevard des
    Martyrs-de-Chateaubri<u>an</u>d...
Écrivez plutôt : Boulevard des
    Martyrs-de-Châteaubriant...

Cette faute, qui tient d'une étonnante confusion, se rencontre jusque sur des documents administratifs et commerciaux ! Certes, Chateaubriand a écrit *les Martyrs...* Mais les nombreuses plaques d'avenues ou de boulevards à ce nom n'ont rien à voir avec notre célèbre écrivain romantique : elles commémorent le **martyre** subi par 27 habitants de **Châteaubriant**, en Loire-Atlantique (alors Loire-Inférieure), pris comme otages et fusillés par les nazis le 22 octobre 1941. (Les habitants de Châteaubriant sont les Castelbriantais.)

Attention ! le nom de l'épaisse tranche de filet de bœuf grillé s'écrit **chateaubriand** ou **châteaubriant**, selon qu'on attribue son origine au cuisinier de l'écrivain ou à la ville.

Évitez d'écrire : Étonnant m~~éca~~no que ce montage financier !

Écrivez plutôt : Étonnant **Meccano** que ce montage financier !

Ce nom déposé (avec majuscule), qui nous est venu de l'anglais *mechanics*, et qui désigne le jeu de construction mécanique bien connu, s'applique facilement, au figuré, à des réalités compliquées de la politique, des affaires ou des rapports sociaux. À ne pas confondre avec ce **mécano** qui, lui, est, familièrement parlant, un mécanicien.

Évitez d'écrire : Votre croisière en ~~Méditerannée~~...

Écrivez plutôt : Votre croisière en **Méditerranée**...

Cette faute se voit même dans des « pubs » d'agences de voyages. Dans **Méditerranée**, il y a **terre** (c'est la mer au milieu des terres), et l'on n'y double pas le **n**.

Écrivez (aussi bien) : Envoyer un **mél** – *ou* un **e-mail**. Pourquoi, en effet, ne pas franciser *e-mail*, abréviation anglo-américaine d'*electronic mail* ? Ce qui, alors, donne **mél**, « message électronique ». Nos cousins – et souvent maîtres en bonne langue française – du Québec, eux, emploient le mot **courriel**, « courrier électronique », en voie de généralisation chez nous.

Évitez d'écrire : Quel ~~méli-mélo~~ !
Écrivez plutôt : Quel **méli-mélo** !
Ce nom composé invariable vient bien de **mêler**, et l'on écrit **pêle-mêle**, mais les accents aigus, à la faveur d'une variation de prononciation, s'y sont imposés, après qu'il se fut écrit, au XIXe siècle, *méli-méla*, et même, au XVIe, *melli-mello*.

Évitez d'écrire : Livres, magazines, quotidiens mêm<u>es</u>, sont souhaités.
Écrivez plutôt : Livres, magazines, quotidiens **même**, sont souhaités.
Ici, **même** n'est pas adjectif indéfini pour qualifier « quotidiens », mais adverbe, donc invariable, pour ajouter de l'intensité au verbe **souhaiter** (on souhaite même... des quotidiens). On peut d'ailleurs le déplacer : « ... des magazines, même des quotidiens, sont souhaités ». Mais on écrira (**même** étant adjectif) : « Son talent et son courage mêmes (eux-mêmes) ont tout fait » ; « Ceux-là mêmes qui ont réussi... ». **Même** peut aussi être pronom indéfini. [« Ce sont les mêmes qui le disent. »]

Évitez d'écrire : Nous pardonnerons, même si cela pren<u>dra</u> du temps.
Écrivez plutôt : Nous pardonnerons, **même si** cela prend (*ou* doit prendre) du temps.

Voilà, à l'oral comme à l'écrit, une faute qui se répand. Ce **si** après un futur, marquant une restriction dans une proposition subordonnée, n'appelle, certes, que des temps de l'indicatif (ici, présent intemporel) [« Nous avons pardonné, même si cela a pris du temps ».] Mais jamais le futur ! Au conditionnel : « Nous pardonnerions, même si cela prenait du temps. »

Évitez d'écrire : Une doctrine, la ~~métempsychose~~ !
Écrivez plutôt : Une doctrine, la **métempsycose !**
Il fallait bien épargner à ce mot, pourtant proche de **psychose,** le **h** de cette maladie mentale.

Évitez d'ecrire : La météore révélée par ce météorite...
Écrivez plutôt : Le **météore** révélé par cette **météorite**...
Le météore est un phénomène atmosphérique et **la** météorite, une « poussière d'étoile ». *Le Petit Robert* – à tort, de notre point de vue – fait celle-ci des deux genres. (**Astéroïde** – petit astre – est masculin.)

Évitez d'écrire : Te ~~meux~~-tu aisément ?
Écrivez plutôt : Te **meus**-tu aisément ?
Ne pas se laisser ici influencer par la conjugaison de **pouvoir** et **vouloir.** [« Je peux, tu peux... Je veux...

tu veux... »] À noter le participe passé de **mouvoir :** **mû** (pour éviter **toute** confusion avec le **mu** de l'alphabet grec ou le **mu** des physiciens). Mais : « Elle/s s'est/se sont m**ue/mues**. »

Évitez d'écrire : Souffrir de ~~mixions~~ impérieuses...
Écrivez plutôt : Souffrir de **mictions** impérieuses...
Le mot « mixion » n'existe pas. **Miction** (du verbe latin *mingere*) = action d'uriner. Ne pas confondre avec **mixtion** (du latin *mixtio*) = action de mélanger diverses substances ; par exemple, à l'aide d'un mixeur (pour obtenir une **mixture** ?)

Évitez d'écrire : À 10 m<u>ile</u>s de la côte...
Écrivez plutôt : À 10 **milles** de la côte...
C'est le **mile** anglo-saxon (1 609 mètres) – mesure terrestre – qui ne prend qu'un **l**. [« Le record du monde du mile... »] Le **mille nautique** (1 852 mètres), lui, s'écrit comme le **mille romain** (1 000 pas), ce dernier n'étant cité que pour mémoire. Par ailleurs, noter que l'homonyme **mille**, adjectif numéral, est toujours invariable. [« Dix mille hommes... »]

Évitez d'écrire : Un millier de personnes <u>est</u> mort.
Écrivez plutôt : Un **millier** de personnes **sont** mort**es**.
Ce sont les personnes qui ont « fait l'action » de

mourir. L'accord au pluriel est également préférable après **une dizaine, une centaine, un million**... (Voir, plus haut, **la plupart**.)

Évitez d'écrire : 1,95 millio~~ns~~ de tonnes...
Écrivez plutôt : 1,95 **million** de tonnes...
Il n'y a pas de raison de mettre **million** (ou **millier,** ou **milliard**) au pluriel – comme on le voit souvent – tant que son complément de nom n'atteint pas 2 !

Évitez d'écrire : Devenez ~~millionaire~~ !
Écrivez plutôt : Devenez **millionnaire** !
C'est en anglais qu'il n'y a à ce mot qu'un **n**.

Évitez d'écrire : Toutes se sont m~~is~~ à s'exprimer.
Écrivez plutôt : Toutes se sont **mises** à s'exprimer.
Écoutons les gens parler : cette forme fautive, nous l'entendons souvent, jusque sur les meilleures ondes. Aussi n'est-il pas étonnant qu'à l'écrit elle tende à s'imposer. Il faut retenir que le verbe **mettre**, transitif direct – accord de son participe avec le complément d'objet direct (COD) [« Les lettres que j'ai mis**es** à la poste/J'ai mi**s** ces lettres à la poste »] – s'emploie à la forme accidentellement pronominale réfléchie (accord avec le COD) [« Elles se sont mis**es** en question »] comme à la forme non réfléchie (l'action n'est plus reportée sur elles-mêmes). On dit alors que l'accord se

fait par gallicisme : avec le sujet ! Cela, c'est le raisonnement grammatical. Mais on peut, pour l'exemple ci-dessus, faire simple et scolaire en se disant : « Toutes ont mis **se** (employé pour elles-mêmes) à l'expression. » (Cette règle et ses homologues sont à aborder précisément, dans cette collection « Dicos d'or », avec *Accordez vos participes*, de Micheline Sommant.)

Évitez d'écrire : ~~Mysogines~~ s'abstenir.
Écrivez plutôt : **Misogynes** s'abstenir.
L'interversion du **i** et du **y** est monnaie courante dans ce mot, fait des éléments grecs *miso*, de *misein*, « haïr », et *gyne*, de *gunê*, « femme ». Penser à **androgyne**.

Évitez d'écrire : Jusqu'à la ~~mœlle~~ (*ou* ~~moëlle~~ des os...
Écrivez plutôt : Jusqu'à la **moelle** des os...
L'accolement fautif du **o** et du **e** se remarque souvent dans ce nom, qui vient du grec *muelos*, puis du latin *medulla* (d'où l'adjectif dérivé **médullaire**), et qui s'est écrit *meole* au XIIᵉ siècle (noter la disposition inverse des mêmes voyelles), puis *moele* au XIIIᵉ. Pas de tréma ! Dans le même genre de préoccupation, pensons à ~~poële~~/**poêle**, ~~poête~~/**poète**...

Évitez d'écrire : C'est moi seul, à cette heure, qui
  peut y parvenir.
Écrivez plutôt : C'est **moi** seul, à cette heure, **qui**
  peux y parvenir.
Le pronom relatif **qui** est souvent systématiquement
pris pour une 3ᵉ personne. Erreur : il ne fait que repro-
duire la personne de son antécédent ; ici, **moi** 1ʳᵉ.
[« Moi... qui peux » = « Je peux ».] (Voir aussi, plus
loin, **toi**...)

Évitez d'écrire : Le ~~Mont-Blanc~~, 4 810 mètres
  en 2001.
Écrivez plutôt : Le **mont Blanc**, 4 810 mètres
  en 2001.
Un adjectif peut remplir le rôle de nom propre (donc
avec majuscule), comme dans **mer Rouge**, **mer
Morte**. Mais on écrira « le tunnel du **Mont-Blanc** » :
il s'agit alors du nom du massif des Alpes françaises
et italiennes qui comprend le **mont Blanc** (sommet).
Attention au **Massif central** ou au **Massif armori-
cain** ! L'adjectif, ici, n'indique que la position géographique.

Évitez d'écrire : Ne vous laissez pas monter le cou
Écrivez plutôt : Ne vous laissez pas **monter le coup**.
La faute, en fait, se commet sous l'influence de la
locution « monter la tête ». **Monter le coup** à

quelqu'un, c'est l'entraîner dans un **coup** (monté, donc) en lui faisant croire des sornettes.

Évitez d'écrire : Cherche ~~mot-croisiste~~ confirmé.
Écrivez plutôt : Cherche **mots-croisiste** confirmé.
Bizarre, ce **s** au premier élément d'un mot composé au singulier ! Certes, mais, pour construire ses grilles et les soumettre aux cruciverbistes (amateurs de mots croisés), le verbicruciste – ou mots-croisiste – doit bien croiser **des** mots, et non un mot.

Écrivez au présent de l'indicatif de **moudre** *comme de* **mouler** : Nous **moulons**...
Eh oui, il existe des formes conjuguées identiques pour des verbes fort éloignés l'un de l'autre, côté sens comme côté grammaire. [« Je mouds, tu mouds, il moud, nous mou**lons**, vous mou**lez**, ils mou**lent** du grain » et « Je moule, tu moules, il moule, nous moulons, vous moulez, ils moulent le camembert à la louche ».] Au présent du subjonctif, c'est même aux six personnes que la forme est la même. [« Il faut que je moule... que nous moulions... le grain comme le camembert... »] Attention à l'imparfait du subjonctif. **Moudre** : « Que je moulusse... qu'il moulût... que vous moulussiez... » **Mouler** : « qu'il moulât. »

Évitez d'écrire : Nous avons là de petits Moza<u>rt</u>.

Écrivez plutôt : Nous avons là de petits **Mozarts**.

Les noms propres au pluriel appellent une réflexion qui ne doit pas générer la contrainte, tant les avis sur le sujet ont divergé. La tendance affirmée implique de dire qu'ici ces **Mozarts** ne désignent que des musiciens en herbe, pas le compositeur. C'est quasi un nom commun, comme des **Rastignacs**, hormis sa majuscule – d'ailleurs supprimée dans des **harpagons** (pour des « avares »)... Mais on écrit : « Les Mozart, les Bach, les Beethoven ont fait notre oreille », comme « les Danton, les Mirabeau, les Robespierre ont enrichi l'art oratoire ». Là, ce sont bien les personnages eux-mêmes qui sont invoqués. De même, si le pluriel va bien quand il s'agit de noms de grandes familles historiques, français ou francisés, comme les **Horaces**, les **Bourbons**, les **Tudors**, le singulier s'impose pour « Nous avons reçu les Dupont » ou « Nombreux dans l'annuaire sont les Durand ». L'usage se montre davantage hésitant, bien que plutôt orienté vers le singulier, sur les noms d'auteurs employés pour désigner leurs œuvres : « des Pissarro(s) et des Monet(s)... »

Côté noms géographiques, on marquera la différence entre, par exemple, « L'unification des deux Allemagn**es** » (il y en avait bien deux) et « Sur ce sujet, deux France s'affrontent » (deux opinions opposées partagent les Français). Quant aux noms déposés (marques, types, modèles), ils appellent, en principe, l'invariabilité. [« Des Renault et des Citroën... » ; « Les Mirage de l'armée de l'air... ».] Mais l'usage – comme des dictionnaires – semble bien s'accommoder des **Canadairs**. Illogique, nous semble-t-il.

Évitez d'écrire : Ce nacre.
Écrivez plutôt : Ce**tte nacre**.
De l'ancien italien *naccaro*.

Évitez d'écrire : Réservé au personnel naviguant.
Écrivez plutôt : Réservé au personnel **navigant**.
Attention aux différences habituelles entre la terminaison des participes présents et celle des adjectifs verbaux (ou noms correspondants, comme **un navigant**, **un fabricant**). [« En adhérant *(participe présent)*, il est devenu totalement adhérent *(adjectif)*, mais cet adhérent *(nom)* a des regrets » ; « Bien que négligeant cet aspect, il paraît moins négligent qu'auparavant » ; « C'est en fabriquant qu'on

145

devient fabricant », mais... « c'est en trafiquant qu'on devient trafiquant ».

Évitez d'écrire : Notre menu à 20 euros ne<u>ts</u>.
Écrivez plutôt : Notre menu à 20 euros **net**.
Après un verbe – ici, **à payer** est sous-entendu avant **net** –, l'adjectif qualificatif **net**(te) devient adverbe, et donc demeure invariable. [« Des salaires nets réglés net. »] Même chose pour **brut**(e).

Évitez d'écrire : Consultation de ~~nouveaux nés~~.
Écrivez plutôt : Consultation de **nouveau-nés**.
Jouant ici le rôle d'adverbe (**nouvellement**), l'adjec-tif qualificatif **nouveau** (suivi d'un trait d'union) reste invariable. Comme **mort** dans **mort-nés, mort-nées**. Mais **premiers-nés** et **premières-nées**. À noter qu'on ne doit appeler un bébé **nouveau-né** que jusqu'à ses 28 jours. Ensuite, jusqu'à 2 ans, c'est un **nourrisson** (de **en nourrice**).

Évitez d'écrire : « <u>Oh !</u> rage ! <u>oh !</u> désespoir !... »
Écrivez plutôt : « **Ô** rage ! **ô** désespoir !... »
Si l'on veut, à l'ombre de Corneille, produire un effet littéraire, autant ne pas remplacer ce **ô** d'invocation (non suivi immédiatement d'un point d'exclamation) par **oh !**, interjection marquant l'admiration ou la surprise, et encore moins par **ho !**, autre interjection, employée, elle, pour interpeller. [« Oh ! vous voilà, enfin !... Nous en sommes heureux, ô combien !... Eh bien, ho ! hisse ! »]

Évitez d'écrire : U<u>ne</u> obélisque.
Écrivez plutôt : U**n obélisque.**
Mais un**e odalisque** !

Évitez d'écrire : Attention de ne pas s'~~obnibuler~~
    là-dessus.
Écrivez plutôt : Attention de ne pas s'**obnubiler**
    là-dessus.
C'est comme avec « rénumérer » pour **rémunérer**,
ou « hynoptiser » pour **hypnotiser** : on cafouille parfois !

Évitez d'écrire : En pareille ~~occurence~~...
Écrivez plutôt : En pareille **occurrence**...
Deux **c,** sont nécessaires à **occurrence**, comme à
nombre de mots commençant par *oc-* avec le son [k],
tels **occasion, occlusion, occulte, occupation** – alors
que **ocarina** et **oculiste** n'en prennent qu'un –, mais
surtout deux **r,** ce qui est souvent oublié. Il faut y
voir, comme origine, le verbe latin *currere*, qui a
certes donné **courir** (un **r** abandonné en route), mais
aussi **curriculum** et le **courre** de « chasse à courre ».

Évitez d'écrire : <u>Un</u> omoplate endolo<u>ri</u>.
Écrivez plutôt : Un**e** **omoplate** endolor**ie**.
Aussi féminin que **épaule**.

Évitez d'écrire : Méritons-nous cet<u>te</u> ~~opprobe~~ ?
Écrivez plutôt : Méritons-nous ce**t opprobre** ?
Deux erreurs à éviter : 1. mettre ce nom au féminin,
car il est masculin ; 2. confondre sa terminaison avec

celle de l'adjectif **probe** (**probité**), car il vient du latin *probrum*, « action honteuse ».

Évitez d'écrire : Ces orgues récent<u>es</u>...
Écrivez plutôt : Ces **orgues** récent**s**...
Longtemps, **orgue**, comme **amour** et **délice**, a été masculin au singulier et féminin au pluriel. Ce n'est plus le cas aujourd'hui. Et les **grandes orgues**, dans une église, ne sont qu'un seul et même instrument : l'orgue de tribune (par opposition à l'orgue de chœur).

Écrivez toujours : **Une orthographe**
      impeccable...
En fait, c'est le mot **orthographie** (du grec *orthos*, « droit », et *graphein*, « écrire ») qui aurait dû nous parvenir pour désigner la seule manière correcte d'écrire les mots, mais il est devenu un terme de géométrie. Paradoxe : au XIIIᵉ siècle, on écrivait *orto-grafie*. Eh oui !

Évitez d'écrire : U<u>ne</u> ovule.
Écrivez plutôt : U**n** ovule.
Aussi masculin que **follicule**, **granule**, **opercule**, **tentacule**, **testicule**... Mais **mandibule** est féminin !

Évitez d'écrire : Pour nous tous, c'est pain bé<u>ni</u>.

Écrivez plutôt : Pour nous tous, c'est **pain bénit**.

Le verbe **bénir** comprend deux participes passés : **béni** = sur qui on a appelé une protection (souvent divine) [« La foule bénie par le pape... Les enfants jadis bénis par leur père... »] ; **bénit(e)** = qui a reçu (dans le catholicisme) la bénédiction d'un prêtre selon un rite défini, tels une médaille (des médailles bénites), de l'eau (l'eau bénite), ou bien du pain (le pain bénit, autrefois distribué à la sortie des églises). De là, **pain bénit** avec le sens figuré d'« aubaine ».

Évitez d'écrire : Résultats par vil<u>le</u>.

Écrivez plutôt : Résultats **par** ville**s**.

Quand la préposition **par** induit l'idée de classement, et donc équivaut à « selon les », on doit la faire suivre du pluriel. Ici, pour avoir le singulier, il faudrait écrire « ville par ville ». En revanche, quand elle porte l'idée de « chaque », le singulier est de rigueur. [« Répartie par dossiers, la dépense se monte à 10 euros par intervention. »]

Évitez d'écrire : <u>Parce</u> que vous dites et faites, vous êtes reconnu.
Écrivez plutôt : **Par ce que** vous dites et faites, vous êtes reconnu.
Parce que (locution conjonctive) = pour la raison que... d'autant que... **Par ce que** (3 mots) = par cela même ; par la chose que... [« Elles séduisent **par ce** qu'elles ont de plus étonnant, et **parce que** nous y sommes sensibles. »] Question de sens !

Évitez d'écrire : Condamnation par ~~coutumace~~...
Écrivez plutôt : Condamnation **par contumace**...
Ce n'est souvent qu'une malheureuse coquille, mais qui risque de faire école, puis de contaminer la prononciation. Le mot vient du latin *contumacia*, « orgueil ». À noter qu'en langage judiciaire on appelle **contumax** un accusé en état de **contumace** (refus de se constituer prisonnier pour comparution devant un jury d'assises).

Évitez d'écrire : Entrée du parc d'attraction.
Écrivez plutôt : Entrée du **parc d'attractions**.
Ce terme désigne un endroit où l'on peut se divertir grâce à des attractions. Il est à rapprocher de **parc de loisirs**. On réservera le singulier à **force d'attraction** et à **vie de loisir**.

Écrivez (aussi bien) : U**n** – *ou* u**ne** **parka**.
Pour ce mot inuit, passé par l'anglo-américain, attesté chez nous en 1932, aucune autorité lexicographique reconnue par le grand public n'a encore osé trancher entre masculin et féminin... Écoutons les gens parler : les deux genres s'emploient selon une quasi-égalité.

Évitez d'écrire : Cela survient par mome**nt**.
Écrivez plutôt : Cela survient **par moments.**
De même que **par instants** (« selon des instants »). Mais le singulier convient mieux pour **à tout moment** (« à n'importe quel moment »). Et il s'impose dans **par intermittence** (selon un mode intermittent, comme le courant alternatif).

Évitez d'écrire : Par parenthès**es**, il faut le redire.
Écrivez plutôt : **Par parenthèse**, il faut le redire.
Par parenthèse = en faisant une parenthèse, une digression. Mais **entre parenthèses** = entre l'ouvrante et la fermante.

Évitez d'écrire : Trop de navires dans le
   Pas-de-Calais.
Écrivez plutôt : Trop de navires dans le **pas de
   Calais**.

Dans le département du **Pas-de-Calais**, on ne voit de navires qu'à Calais et à Boulogne, et ces ports ne demandent qu'à en accueillir plus. Ce ne peut donc être que dans le **pas de Calais** (détroit entre côtes anglaise et française) que le trafic se révèle intense, et même dangereux. (Voir, plus haut, **Eure-et-Loir**).

Évitez d'écrire : Contre les termites, pas de
   quartiers !
Écrivez plutôt : Contre les termites, **pas de quartier** !

Le **quartier**, c'était jadis, entre autres acceptions, l'abri où se réfugier. Ne pas faire de quartier, c'est donc massacrer tout le monde, sans pitié, en ne permettant pas la moindre retraite.

Évitez d'écrire : Passés ces délais, rien n'est garanti.
Écrivez plutôt : **Passé** ces délais, rien n'est garanti.

Comme **étant donné**, **excepté** et **mis à part**, **passé** demeure invariable en début de proposition. En revanche, comme adjectif après un nom, il s'accorde avec celui-ci. [« Excepté ces fautes-là... Mis à part ces considérations.../Ces fautes-là exceptées... Ces considérations mises à part... »]

N'écrivez plus : Qui pay<u>e</u>ra la note ?
Écrivez plutôt : Qui **paiera** la note ?
Il ne s'agit pas à proprement parler d'une faute, puisque l'infinitif des verbes réguliers se retrouve habituellement, comme radical, au futur et au conditionnel présent (**étudier** = « J'**étudier**ai/s ; **conclure** = « Je **conclur**ai/s » ; donc **payer** = « Je **payer**ai/s). Seulement voilà, dans la conjugaison moderne, on préfère de loin devant un **e** muet, prononciation oblige, le **i** au **y**. Une forme qui est obligatoire pour les verbes en **-oyer** et en **-uyer** : « J'emploie », « J'essuie »... Attention ! **envoyer** et **renvoyer** font, irrégulièrement, « J'enverrai/s », « Je renverrai/s ».

Écrivez (c'est selon) : Un endroit **paysager** – *ou*
    paysagé.
On peut, *le Robert* à l'appui, établir une nuance d'usage entre la terminaison en **-er** (attestée dès 1846) – sens actif : qui produit l'impression d'un paysage naturel – et celle en **-é** (datant seulement de 1970) – sens passif : qui est arrangé de manière à donner l'idée d'un paysage. [« Un parc paysager... » ; « « Les vocations... touristiques et paysagères » (*in Science et vie*) » ; « Des couloirs et des bureaux paysagés... ».]

Évitez d'écrire : Qui p<u>è</u>che en eau trouble ?
Écrivez plutôt : Qui **pêche** en eau trouble ?

Ici, on ne désigne pas un pécheur (habitué du péché) – « je pèche, tu pèches... par omission » –, mais quelqu'un qui pêche de drôles de choses dans une eau loin d'être limpide ; en somme, qui magouille. Un péché quand même !

Attention à la locution **pêcheurs d'hommes** : avec aussi un accent circonflexe. Elle vient de la phrase du Christ aux Apôtres « Je vous ferai pêcheurs d'hommes » (en clair, « que vous ramènerez comme des poissons dans le filet »).

Évitez d'écrire : Vos soucis ~~pécuniers~~...
Écrivez plutôt : Vos soucis **pécuniaires**...
Il y a là plus qu'une faute d'orthographe : le mot « pécunier » n'existe tout simplement pas. C'est donc l'adjectif **pécuniaire** – et non « pécunière » – qui vaut pour qualifier un nom, que celui-ci soit masculin ou féminin.

Évitez d'écrire : Cabinets du ~~pédiâtre~~, du ~~psychiâtre~~ et du ~~gériâtre~~...
Écrivez plutôt : Cabinets du **pédiatre**, du **psychiatre** et du **gériatre**...
Les accents fautifs ont la vie dure dans ces noms de médecins spécialistes. Sans doute sous l'influence de nombre de mots en **-âtre**, comme **acariâtre**, **emplâtre**, **opiniâtre**, **théâtre**...

Évitez d'écrire : « Pluie du matin réjouit le pélerin. »
Écrivez plutôt : « Pluie du matin réjouit le **pèlerin**. »
Comme **pèlerinage** et **pèlerine**, **pèlerin** prend un accent grave. Attention à la prononciation !

Évitez d'écrire : Nos be<u>lles</u> pénates...
Écrivez plutôt : Nos be**aux pénates**...
Ce nom pluriel, désignant chez les Romains les dieux domestiques, a continué d'être masculin quand, à la fin du XVIIe siècle, il a pris le sens figuré de « demeure ».

Évitez d'écrire : L'administration ~~pénitencière~~...
Écrivez plutôt : L'administration **pénitentiaire**...
Pénitentiaire, de même que **pénitentiel**, a conservé le **t** du mot latin *pænitentia,* qui a donné **pénitence**, **pénitent**. (Terminaison en **-aire**, comme pour **pécuniaire**.) Attention de ne pas écrire non plus, ni dire : « Les établissements, les personnels pénitenciers », mais bien « Les établissements, les personnels pénitentiaires », **pénitencier** n'étant pas adjectif, mais substantif. [« Les portes du pénitencier... »]

Évitez d'écrire : On opérait sous ~~pentothal~~.
Écrivez plutôt : On opérait sous **penthotal**.
Ce mot est un raccourci, sous forme de mot-valise, de **penthiobarbital**, d'où la place qu'y tient le **h**. On

retrouve le radical **barbital** – sans **h**, donc – dans **barbiturique**.

N'écrivez pas, madame : Je me suis permi<u>se</u>
     d'intervenir...
Écrivez plutôt : Je me suis **permis** d'intervenir.
Faute répandue à l'oral et qui gagne l'écrit. Raisonnement basique à propos de cette forme accidentellement pronominale (accord comme avec l'auxiliaire **avoir**). Elles se sont permis quoi ? Réponse : **d'intervenir** (complément d'objet direct placé après, donc pas d'accord). Le pronom **me**, lui, est complément d'objet indirect. (J'ai permis à qui ? À **me**, mis pour **je**.) On consultera avec grand profit, dans cette collection « Dicos d'or », *Accordez vos participes*, de Micheline Sommant.

Évitez d'écrire : Elles sont ~~perclues~~ de douleurs...
Écrivez plutôt : Elles sont **percluses** de douleurs...
Le masculin est **perclus** (du latin *perclusus*, « obstrué »), et non « perclu ».

Écrivez (c'est selon) : Les **petits enfants**... – *ou*
    petits-enfants...
Sans trait d'union, il s'agit tout simplement d'enfants en bas âge. Avec trait d'union, ce sont les enfants des enfants de quelqu'un, tels ses petit(s)-fils et/ou petite(s)-fille(s), pas forcément petits, d'où la nécessité du trait d'union pour créer un sens nouveau et particulier. Comme dans **petit-beurre** (il ne s'agit pas d'un beurre miniature) ; **petit-four** (ce n'est pas un four de taille modeste) ; **petit-bourgeois** (il peut bien mesurer 1,80 m). Et cela vaut pour bien d'autres noms composés. Prenons le **pet-de-nonne**, ce petit beignet. Eh bien, sans trait d'union, ce pet-là ne serait qu'une flatulence de religieuse. Et la **queue-de-cheval** (coiffure féminine) ? Sans traits d'union, il s'agirait du prolongement souple de la colonne vertébrale du meilleur ami de l'homme. Et un **rond-de-cuir** ? Et un **procès-verbal** ? Etc. (Voir aussi, plus loin, **sur-le-champ**.)

Évitez d'écrire : C'est peu de chos<u>es</u>...
Écrivez plutôt : C'est **peu de chose**...
Ce qui veut dire : « La chose est de peu d'importance. » On réservera le **s** à **état**(s) **de choses**.

Évitez d'écrire : Peu nous chau<u>d</u> qu'ils viennent.
Écrivez plutôt : **Peu nous chaut** qu'ils viennent.
Cette forme du vieux verbe **chaloir**, « importer » (aujourd'hui employée sur un mode plaisant), est celle de sa 3e personne du singulier au présent de l'indicatif.

Évitez d'écrire : C'est peu ou pro<u>ue</u> la même chose.
Écrivez plutôt : C'est **peu ou prou** la même chose.
Évitons surtout de voir là une figure de proue ! De l'ancien français *proud*, « beaucoup », « assez », **prou** n'est plus employé que dans cette locution qui, dans un registre soutenu, équivaut à « plus ou moins ».

Évitez d'écrire : À la recherche de <u>fi</u>ltres d'amour...
Écrivez plutôt : À la recherche de **philtres** d'amour...
Du grec *philtron*, **philtre** désigne le breuvage magique de jadis concocté pour inspirer l'amour. À ne pas confondre avec le **filtre** – mot apparenté à **feutre** – de nos cafetières, qui produit un filtrat.

Évitez d'écrire : En promotion, pin<u>ot</u> des Charentes.
Écrivez plutôt : En promotion, **pineau** des Charentes.
Le mot **pineau** vient, en fait, de **pinot** et s'est indi-
vidualisé pour désigner le vin de liqueur charentais
bien connu. **Pinot**, de **pin** (forme proche de celle de
la grappe) = cépage répandu surtout en Bourgogne
et en Champagne (pinots chardonnay, meunier, noir,
gris, blanc...).

Évitez d'écrire : Les ~~pimpons~~ des pompiers.
Écrivez plutôt : Les **pin-pon** des pompiers.
Ce nom, construit sur l'onomatopée exprimant le
bruit des avertisseurs à deux tons de services
d'urgence (pompiers, Samu, police), est par nature
invariable (comme des **tic-tac**...). Mais, à ce propos,
rappelons-nous que devant **b**, **m**, **p**, on met un **m**,
comme dans **emblème**, **emménager**, **emprunt**...,
sauf dans **bonbon**, **embonpoint**, **néanmoins**,
Istanbul...

Évitez d'écrire : Prévention des ~~piqures~~ d'insectes.
Écrivez plutôt : Prévention des **piqûres** d'insectes.
Pourquoi un accent circonflexe – qu'on tend de plus
en plus à oublier – sur le **u** ? Parce que, dérivé de
son ancêtre *pikedure* (XIᵉ siècle), ce substantif s'est
écrit *piqueure* au XIVᵉ. Or, il semble bien que sa réduc-
tion en **piqûre** ait entraîné l'accent comme trace du

eu disparu. À noter que l'acception médicale du mot (injection ou ponction) ne fut attestée qu'en 1909.

Évitez d'écrire : Demain, la ~~plaidoierie~~.
Écrivez plutôt : Demain, la **plaidoirie**.
Pas de **e** dans ce nom, pas plus que dans **métairie** ou **voirie** (voir, plus loin, ce dernier mot, et aussi, plus haut, **atermoiement**).

Évitez d'écrire : U<u>ne</u> planisphère...
Écrivez plutôt : U**n planisphère**...
Le substantif **planisphère** est masculin, et désigne une carte – en projection plane – des deux **hémisphères**, nom également masculin, contrairement à **atmosphère** ou **stratosphère**, qui sont féminins. Évitons d'employer ce mot dans le sens de « globe terrestre ».

Évitez d'écrire : Un attentat au plasti<u>que</u>...
Écrivez plutôt : Un attentat au **plastic**...
Quant à leur origine, ces deux mots sont proches l'un de l'autre. **Plastique** (du grec *plastikos*, « relatif au modelage ») → **emplâtre**. La forme anglaise *plastic*, également « emplâtre » (consistance du mastic), francisée, et désignant une variété d'explosif, a donné **plasticage**, mais aussi **plastiquage**.

Évitez d'écrire : Plein feu sur le Livre.
Écrivez plutôt : **Pleins feux** sur le Livre.
Laissons **le feu** à l'âtre, ou... à l'incendie, et, pour cette locution, retenons **ces feux** (sens figuré) qui attirent l'attention sur quelqu'un ou quelque chose. [« Tous les feux (projecteurs) sont sur lui » ; « Il est l'objet des feux de la rampe ».]

Évitez d'écrire : Pas plutôt arrivés, ce fut l'orage.
Écrivez plutôt : Pas **plus tôt** arrivés, ce fut l'orage.
Question de sens : **plus tôt** = « avant », « plus vite », ou contraire de « plus tard » ; **plutôt** = de préférence. [« Plutôt que d'essayer d'arriver le plus tôt possible, commençons plutôt par vérifier que nous ne sommes pas en train d'agir plus tôt que prévu. »]

Évitez d'écrire : Montage de ~~pneux~~.
Écrivez plutôt : Montage de **pneus**.
Le pluriel des noms terminés en **-eu** se forme par l'ajout d'un **x** à leur singulier. [« Jeux et enjeux... »] Font notamment exception : **pneus(s)**, **neuneu(s)**, **émeu(s)**. Attention : **vœu(x)**, mais **aveu(x)** !

Évitez d'écrire : Le Poitou-Charente vous accueille.
Écrivez plutôt : Le **Poitou-Charentes** vous accueille.
La Charente et la Charente-Maritime, ça fait deux Charente**s**, associées au Poitou (Deux-Sèvres et

Vienne) lors de la création de cette Région administrative.

Évitez d'écrire : Vaccination anti-~~polyo~~.
Écrivez plutôt : Vaccination anti-**polio**.
L'abréviation **polio** (ici, c'est une apocope) – tout à fait correcte – pour **poliomyélite** reproduit à l'identique le grec *polio*, « gris ». Le **y** est à mettre dans **myélite**, puisqu'il y traduit le υ (upsilon) du grec *muelos*, « moelle ».

Écrivez (c'est selon) : Une **polyclinique**... – *ou*
      une **policlinique**...
En effet, si une **polyclinique** (**poly**, du grec *polus*, « plusieurs ») est une unité hospitalière (souvent privée) composée de services où s'exercent diverses spécialités médico-chirurgicales, une **policlinique** (**poli**, du grec *polis*, « ville ») – clinique de ou dans la ville – n'est qu'un établissement de soins en journée ne donnant pas lieu à une hospitalisation complète. Certains centres hospitaliers, comme Lariboisière à Paris, comprennent une policlinique.

Évitez d'écrire : Visite du ~~porte-avion~~.
Écrivez plutôt : Visite du **porte-avions**.
La série des noms composés d'un verbe et d'un nom offre bien des étonnements, au singulier comme au

pluriel : la logique devrait s'y appliquer avant tout. Ainsi, on ne peut concevoir un bâtiment de guerre adéquat qui ne permettrait l'envol, l'appontage et le stationnement que d'un seul avion de combat. Selon le même raisonnement, on devrait écrire, par exemple, **un** ou **des tire-lignes** [il(s) est (sont) fait(s) pour tirer des lignes]. Mais il est vrai aussi qu'on ne tire qu'une ligne à la fois avec un seul, et forcément des lignes avec plusieurs, d'où **un tire-ligne**, **des tire-lignes** dans les dictionnaires, comme **un tire-bouchon, des tire-bouchons**. En revanche, on écrira **un** ou **des tire-lait** [fait(s) pour tirer du lait]. Recourons donc aux dictionnaires pour tous ces noms composés avec **attrape-, arrache-, porte-, compte-** (on ne se voit quand même pas préférer « un compte-goutte » à **un compte-gouttes**), etc.

Évitez d'écrire : Victoire des Portuguais.
Écrivez plutôt : Victoire des **Portugais**.
Ce genre d'adjectif ne prend un **u** que si cette lettre figure en terminaison du nom dont il dérive, comme c'est le cas avec **Camargue/Camarguais**.

Évitez d'écrire : Il convient de garder la p<u>au</u>se.
Écrivez plutôt : Il convient de garder la **pose**.
Pose = action de poser quelque chose quelque part, ou d'établir, d'arranger. [« On pose ses affaires et des

questions... et puis des rideaux. »] Mais aussi action de donner de la notoriété, ou de prendre une attitude (laquelle peut se révéler artificielle...). **Pause** = suspension momentanée d'une action (en photographie, temps de maintien de l'ouverture du diaphragme). Bien que **poser** et **pauser** trouvent leur origine dans le même verbe latin, *pausare*, la **pose** n'a plus rien à voir avec la **pause**, et donc « adopter une pose » est bien loin de « marquer une pause ». [« La série de poses sera entrecoupée de pauses. »]

On notera d'ailleurs que **pauser** (verbe intransitif vieilli), pour « faire une pause » [« Nous n'avons pausé qu'un instant »], s'emploie toujours, par exemple, en coiffure [« Laisser pauser *(la couleur)* quinze minutes »].

Évitez d'écrire : Tâter le p<u>ou</u> de la conjoncture...
Écrivez plutôt : Tâter le **pouls** de la conjoncture...

Ce **pouls**-là, souvent employé au figuré – du latin *pulsus (venarum)*, « battement (des artères !) », avec l'acception de « poussée » –, s'est écrit *pulz* au XIIe siècle, puis *pous* au XIIIe. Mais le **l** se devait de réapparaître avec la naissance, au XIVe, de *pulsacion*, devenu, bien sûr, **pulsation**, conformément au latin *pulsatio*.

Noter ici un drôle de **pou** (comme l'insecte) dans le mot **pou-de-soie** – ou **poult-de-soie** (étoffe de soie, sans lustre et unie) –, qui s'est aussi écrit, au cours des âges, *poul de soie* et *pout de soye*. Orthographes actuelles au pluriel : des **poux-de-soie**, **pous-de-soie**, **poults-de-soie**.

Évitez d'écrire (sur une pièce comptable) : Pour acqu<u>is</u>.
Mais écrivez-y : **Pour acquit.**
Comme dans « par acqu**it** de conscience », le verbe qui se dessine derrière ce **acquit** est **acquitter** – une facture est acquittée, comme l'on s'acquitte d'une obligation –, et non **acquérir** (→ **acquisition**), qui, lui, a pour participe passé et adjectif, **acquis**. [« Bien mal acquis ne profite jamais. »]

Évitez d'écrire : Démarrez. Pour <u>se</u> faire, cliquez sur l'icône.
Écrivez plutôt : Démarrez. **Pour ce faire**, cliquez sur l'icône.
Autrement dit, « pour faire cela », **ce** étant pronom démonstratif. Mais c'est le pronom personnel **se** qui convient dans, par exemple : « C'est pour **se** faire peur qu'ils le disent » (= pour faire peur à eux-mêmes) ; « Autant que faire se peut ».

Évitez d'écrire : Et tout cela, pou<u>r</u>quoi faire ?
Écrivez plutôt : Et tout cela, **pour quoi** faire ?

Pour quoi (préposition et pronom relatif) = pour quelque chose... **Pourquoi** (adverbe) = pour quelle raison ? [« Pourquoi êtes-vous venu ? Et pour quoi ? Pour qui ? »]

Évitez d'écrire : Il faut agir ~~précocément~~.
Écrivez plutôt : Il faut agir **précocement**.
Cet accent aigu, qu'on entend presque toujours, notamment dans la bouche de médecins, et qui contamine l'écrit, n'a jamais existé dans cet adverbe dérivé de **précoce**.

Évitez d'écrire : Ici, les prémi<u>sse</u>s de la réussite.
Écrivez plutôt : Ici, les **prémices** de la réussite.
Prémices (nom féminin, toujours pluriel) = les débuts de quelque chose (à l'origine, premiers produits de la terre ou premiers-nés du bétail). **Prémisse** (féminin) = chacune des propositions de base d'un raisonnement. [« À propos des prémices du développement durable, la conclusion de notre raisonnement doit être en accord avec ses prémisses. »]

Évitez d'écrire : Prendre à par<u>ti</u> son voisin...
Écrivez plutôt : **Prendre à partie** son voisin...
Impute-t-on à son voisin un mal qui est survenu ? Alors, dans un éventuel procès, comme partie plaignante, on va avoir affaire à lui en tant que **partie**

(adverse), et l'on aura peut-être **partie liée** avec d'autres voisins. Lesquels seront amenés à **prendre parti** (parti pris) pour ou contre, et même à **tirer parti** de la situation, en **tout ou partie**, sans même **faire partie** d'un groupe constitué... Mais, surtout, que personne ne se retrouve **juge et partie**.

Écrivez (aussi bien) : **Prendre en otages** – *ou* **en otage** – des innocents...
Bien que certains défendent **otage** au singulier dans cette locution quand elle est en relation avec un pluriel, on peut quand même se dire que son sens n'est pas différent de « Prendre **comme otages** des innocents ».

Évitez d'écrire : De quoi prendre le mo~~rt~~ aux dents.
Écrivez plutôt : De quoi **prendre le mors aux dents**.
Les dents du croque-mort n'ont rien à voir là-dedans ! Dans **mors**, il faut voir **morsure, morceau**. Le sens de la locution vient du mouvement du cheval qui soudain prend entre les incisives et rend inefficace le levier de la bride (mors) qui sert à le diriger.

Évitez d'écrire : Elles ne sont pas ~~prêtes d'~~oublier.
Écrivez plutôt : Elles ne sont pas **près d'**oublier.
Confusion fréquente entre deux locutions au détriment de leur sens : **prêt(e) à** = disposé(e) à... ; **près**

de = sur le point de... On peut être **prêt à** passer à l'acte sans pour autant être **près d'**y passer ! Et, inversement, par exemple, une femme peut être **près d'**accoucher sans être **prête à** accoucher. Enfin, que dire de « près de mourir » et de « prêt à mourir » ?

Évitez d'écrire : Vous êtes ~~presqu'~~arrivés !
Écrivez plutôt : Vous êtes **presque** arrivés !
Presque s'élide uniquement dans **presqu'île**. Et **puisque** ne s'élide que devant **il**(s), **elle**(s), **on**, **en**, **un**(e). [« Puisque avec cela tout va bien et puisqu'on en a parlé... »] **Parce que**, devant **à**, **il**(s), **elle**(s), **on**, **un**(e). [« Parce que aujourd'hui cela survient et parce qu'on proteste... »]

Évitez d'écrire : Pour que la mairie le prév<u>oit</u>...
Écrivez plutôt : Pour que la mairie le **prévoie**...
En conjugaison, quand la prononciation ne différencie pas le subjonctif de l'indicatif, il faut, pour s'épargner la confusion, remplacer le verbe employé par un autre verbe, dont les terminaisons s'entendent. Personne n'écrira : « Pour que la mairie le prend... », mais tout le monde sera d'accord sur « Pour que la mairie le **prenne**... ». (Voir aussi, plus loin, **voie**.)

Évitez d'écrire : Madame, qu'est-ce qui vous a pri<u>se</u> ?

Écrivez plutôt : Madame, qu'est-ce qui vous a **pris** ? Mieux vaut ici ne pas voir dans le pronom personnel **vous**, mis pour **Madame**, un complément d'objet direct, et donc ne pas faire l'accord avec lui, ce qui serait conforme à la règle générale avec l'auxiliaire **avoir**. Il est plutôt à considérer comme complément d'objet indirect (... qu'est-ce qui a pris **à** vous ?). Et la dame en question, quant à elle, devrait aussi écrire – ou dire : « Qu'est-ce qui **m'**a **pris** ? » – à la 3e personne : « Qu'est-ce qui **lui a pris** ? »

En revanche, on écrira : « Elles s'y sont bien **prises**. » Là, **se prendre** est, pour l'accord de son participe, à considérer comme ayant valeur carrément pronominale. D'où l'accord (par gallicisme) avec le sujet **elles**, comme dans « Elles se sont prises d'affection pour nous » ou même « Elles se sont absentées ». Autres figures, mais cette fois à la forme accidentellement pronominale, qui induit l'accord ou non, comme avec **avoir** : « Elle s'est prise pour une reine » (elle a pris **s'**, COD placé avant, mis pour elle-même = accord) ou « Elles se sont pris les pieds dans le tapis » (COD **pieds** placé après = pas d'accord).

Pour bien maîtriser ce genre de difficultés, il faut se reporter à *Accordez vos participes*, de Micheline Sommant, dans cette collection « Dicos d'or ».

Évitez d'écrire : Comme dessert, des ~~profiterolles~~.

Écrivez plutôt : Comme dessert, des **profiteroles**.

La faute saute aux yeux dans bien des menus de restaurant. Or, **profiterole**, comme **banderole**, **bricole**, **casserole**, **rougeole** **systole**, **vérole**, etc., ne prend qu'un **l**. Contrairement à **folle**, **barcarolle** ou **girolle**...

Évitez d'écrire : Votez aux élections ~~prud'hommales~~.

Écrivez plutôt : Votez aux élections **prud'homales**.

Bien que dérivé de **prud'homme** (de *prod*, « preux », et *homme*), **prud'homal** – de même que **prud'homie** – ne prend qu'un **m**, comme le mot latin *homo,* avec lequel le français a fait **homme** (→ **hommage**, **bonhomme**), mais aussi **hominien, hominidé, hominisation, homicide, bonhomie**... À noter que **prudhommerie** et **prudhommesque** n'ont rien à voir avec cette origine : ces mots dérivent de Joseph Prudhomme, personnage prétentieux et ridicule dû à l'écrivain du XIXe siècle Henri Monnier.

Évitez d'écrire : Qui sont les ~~psychanalistes~~ ?

Écrivez plutôt : Qui sont les **psychanalystes** ?

Dans **psychanalyste** – ou **analyste** –, on doit retrouver le **y** de **analyse**, mot sur lequel on ne fait jamais de faute. L'erreur est induite par l'attraction du suffixe **-iste** de **biologiste** (biologie), **orthopédiste** (orthopédie), etc.

Évitez d'écrire : Il a rendu les services qu'il a pus.
Écrivez plutôt : Il a rendu les services qu'il a **pu**.
Le participe passé de **pouvoir** ne s'accorde jamais. Ici le sens, de toute façon, interdirait l'accord avec **services** (il s'agit des services qu'il a pu rendre : **rendre** est complément d'objet direct, sous-entendu, de **pu** (placé après = pas d'accord).
Dans un tel contexte, on écrirait aussi : « J'ai rendu tous les services que j'ai **dû** et que j'ai **voulu** » (sous-entendu, « rendre »). Mais « Les sommes que j'ai dues... » ; « Les choses que j'ai voulues... ».

Évitez d'écrire : Voyage en autocar p̶u̶l̶m̶a̶n̶n̶.
Écrivez plutôt : Voyage en autocar **pullman**.
Pullman (de l'anglo-américain *pullman-car*) vient du nom de l'inventeur du confort luxueux sur roues (rail et route). D'où les fauteuils pullman. À noter que la terminaison **-ann** convient généralement aux noms propres d'origine germanique, **-an** révélant plutôt une origine anglo-saxonne.

Évitez d'écrire : Départ pour la chaîne des p̲u̲i̲ts...
Écrivez plutôt : Départ pour la chaîne des **puys**...
Puy (du latin *podium*, « tertre », « éminence »)

= montagne (d'où, par exemple, Le Puy-en-Velay). **Puits** (de *puteus*) = cavité profonde et étroite atteignant une nappe d'eau souterraine. On s'élève sur l'un, on s'enfonce dans l'autre... Attention à la différence orthotypographique entre le **Puy-de-Dôme** (département) et le **puy de Dôme** (montagne).

Évitez d'écrire : Méfiez-vous de l'effet ~~Pigmalyon~~.
Écrivez plutôt : Méfiez-vous de l'effet **Pygmalion**.
Moyen mnémonique pour se souvenir de la place du **y** : « Les pygmées mangent du lion. » En tout cas, c'est le contraire du nom commun **amphitryon**, du grec *Amphitruôn*, chef thébain. Bien noter que le υ (upsilon) grec a produit notre **y**.

Évitez d'écrire : Au cœur des ~~Pyrennées~~...
Écrivez plutôt : Au cœur des **Pyrénées**...
Conforme à **Pyrène**, la figure de légende à l'origine du nom géographique.

Évitez d'écrire : Qua<u>nd</u> à ces livres, attention !
Écrivez plutôt : **Quant** à ces livres, attention !
La locution prépositive **quant à** (**quant au/x**) se distingue facilement de la conjonction de subordination **quand** (= lorsque). Pour autant, il n'est pas exclu de trouver **quand** devant à ou **au**, comme dans « Quand à cet instant il s'en alla, tout était joué ». Question de sens, alors !

Évitez d'écrire : On ne sait pas qu'<u>e</u>lle est son origine.
Écrivez plutôt : On ne sait pas **quelle** est son origine.
À l'oreille, pas de différence, mais on ne doit pas confondre, en écrivant, l'adjectif relatif **quel**, ici

épithète, et **qu'elle** (**qu'il**), conjonction de subordination + pronom personnel. [« Elles savent ce qu'elles veulent et quelles sont leurs possibilités. »]

Évitez d'écrire : Versement de quelqu<u>es</u> 1 000 euros.
Écrivez plutôt : Versement de **quelque** 1 000 euros.
Devant un nombre, **quelque** est pris comme adverbe, donc invariable. Il signifie alors « environ ». Bien sûr, quand **quelque** est adjectif indéfini, il s'accorde avec le nom auquel il se rapporte. Exception avec **quelque temps**, où il a le sens de « un certain ». [« En quelque temps, ces quelques travaux ont nécessité quelques milliers d'euros de plus. »]

Évitez d'écrire : ~~Quelqu'~~animal que vous
        choisissiez...
Écrivez plutôt : **Quelque** animal que vous
        choisissiez...
L'élision de **quelque** se fait seulement devant **un** ou **une**. [« Quelqu'un de bien... »]

Évitez d'écrire : Assuré que<u>l</u>que soit votre risque.
Écrivez plutôt : Assuré **quel que** soit votre risque.
Quel (pronom relatif indéfini) **que** – en deux mots –, qui s'emploie avec le subjonctif du verbe **être**, signifie « de quelque nature que... ». [« Quelle que

soit sa doctrine et quels que soient ses engage-
ments... »]

Évitez d'écrire : Quelque coquilles que vous ayez
     faites et quelques graves qu'elles soient...
Écrivez plutôt : **Quelques** coquilles que vous ayez
     faites et **quelque** graves qu'elles soient...
Dans cette locution exprimant une concession, **quelque** peut être adjectif, et alors il s'accorde avec
le nom auquel il se rapporte. [« Quelque cheval que
vous montiez et quelques résultats que vous obte-
niez... »] Il peut aussi être adverbe, et invariable,
devant un adjectif ou un autre adverbe. [« Quelque
grandes que soient ses connaissances et quelque sage-
ment qu'il les ait acquises... »]

Écrivez (c'est selon) : Nous sommes **quelquefois
     intervenus** – *ou* **intervenus quelques fois**
Quelquefois = parfois. **Quelques fois** = à un certain
nombre de reprises. La nuance existe, et donc **quelquefois**, en un mot, a toujours droit de cité.

Évitez d'écrire : Se méfier du ~~quand-dira-t'on~~.
Écrivez plutôt : Se méfier du **qu'en-dira-t-on**.
C'est à partir de la question **qu'en dira-t-on ?**
(« quelle chose on en dira ? ») qu'est né ce nom composé invariable (avec trois traits d'union).

Évitez d'écrire : Évitons toute querelle de cloche~~rs~~.
Écrivez plutôt : Évitons toute **querelle de clocher**.
Cette locution ne situe pas la querelle entre plusieurs clochers, mais autour du clocher. Comme un conflit de peu d'importance.

Évitez d'écrire : « Aux ~~Quincaillers~~ réunis. »
Écrivez plutôt : « Aux **Quincailliers** réunis. »
Ce **i** se trouve aussi dans **châtaignier** et **joaillier**.

Évitez d'écrire : Hôpital des ~~Quinze vingt~~.
Écrivez plutôt : Hôpital des **Quinze-Vingts**.
Pourquoi un **s** à ce nom d'institution médico-chirurgicale parisienne spécialisée en ophtalmologie ? Simplement parce que, à l'origine, dit-on, il s'agissait d'un hôpital composé de 15 salles de 20 malades chacune. Noter le trait d'union.

Évitez d'écrire : Questions sous forme de ~~quizz~~.
Écrivez plutôt : Questions sous forme de **quiz**.
Le redoublement du **z** n'a pas lieu d'être dans ce mot, qui vient de l'anglo-américain *to quiz*, « interroger ». Et, bien sûr, pas question de mettre un **s** au pluriel après un **z**.

Évitez d'écrire : Quo~~i~~qu'il en soit, il faut agir.
Écrivez plutôt : **Quoi qu'il** en soit, il faut agir.

L'emploi fautif de **quoique** pour **quoi que** est endémique. Alors, souvenons-nous : **quoique** (conjonction de subordination) = bien que... ; **quoi que** (deux pronoms relatifs) = quelle que soit la chose que... [« Quoi qu'il arrive, quoi qu'on en dise et quoiqu'il nous faille travailler, comptez sur nous pour quoi que ce soit. »]

Évitez d'écrire : Des ~~cotes-parts~~ bien calculées...
Écrivez plutôt : Des **quotes-parts** bien calculées...
Ecrire « Une cote-part » ne serait pas la pire des fautes, puisque la **cote** est justement le montant d'une cotisation, d'un impôt demandé à chacun. Mais **quote** vient du latin médiéval *quota*, et **quote-part**, précisément, de *quota pars*, « part revenant à chacun ».

Évitez d'écrire : Un projet mis au ranca<u>rd</u>.

Écrivez plutôt : Un projet mis au **rancart**.

Du normand *récart, récarter,* « éparpiller », ce **ran-cart**-là (rebut) ne peut se confondre avec l'argot **ran-card** (ou **rencard**), « tuyau », « renseignement donné en confidence » (d'où **rancarder**), ni avec le subs-tantif familier **rancard**, « rendez-vous », « ren-contre » [« Donner un rancard... »].

Évitez d'écrire : Grand concert de ~~rapp~~.

Écrivez plutôt : Grand concert de **rap**.

De l'anglais *to rap,* « frapper de petits coups secs, parler sèchement ». Mais le mot français

rappeur(euse) a fini par prendre deux **p** comme d'ailleurs *rapper* en anglais.

Évitez d'écrire : Le rapport de for<u>ce</u> nous est favorable.
Écrivez plutôt : Le **rapport de forces** nous est favorable.
Pour que ce rapport existe, il faut qu'il y ait au moins deux forces. D'ailleurs, la locution **à forces égales** (ou **inégales**) vient à l'appui de cette préférence pour le pluriel.

Évitez d'écrire : Il faut ~~râtisser~~ large.
Écrivez plutôt : Il faut **ratisser** large.
C'est peut-être du fait de sa proximité avec **raser** que **ratisser** s'est passé d'accent circonflexe, alors que **râteau**, **râteler** ou **râtelier** en prennent un. [« On rase l'herbe, et c'est avec un râteau qu'on la ratisse... »]

Évitez d'écrire : Elles se sont refu<u>sé</u> à apprendre.
Écrivez plutôt : Elles se sont **refusées** à apprendre.
Vraie difficulté pour l'accord de ce participe, comme d'autres. Bien sûr, **se refuser** est accidentellement pronominal – accord ou non avec le complément d'objet direct, placé avant ou après, selon la règle relative à l'auxiliaire **avoir**. [« Les plaisirs que nous

nous sommes refus**és**... » ; « Nous nous sommes refus**é** des plaisirs... »] Ici, pourtant, nous sommes en présence de la forme non réfléchie du verbe (l'action du sujet ne se reporte pas sur lui-même). On dit alors qu'il y a « accord par gallicisme » : avec le sujet. Un cas à rapprocher (faute fréquente avec cette forme pronominale rendant le passif) : « L'Europe telle qu'elle s'est [*qu'elle a été*] ~~construit~~/**construite**. » (Voir, pour ce genre de difficultés, dans cette collection « Dicos d'or », *Accordez vos participes*, de Micheline Sommant.)

Évitez d'écrire : ~~Réglement~~ conforme à la
        ~~règlementation~~.
Écrivez plutôt : **Règlement** conforme à la
        réglementation.
Règle → règlement, dérèglement. **Régler** → réglable, réglage, réglementaire, réglementation, réglette, réglure...

Évitez d'écrire : Du réglisse.
Écrivez plutôt : De la **réglisse**.
En grec ancien, « racine douce ».

Évitez d'écrire : Ici, ancien ~~relai~~ de poste.
Écrivez plutôt : Ici, ancien **relais** de poste.
Un **s** à **relais** sous l'influence de **relaisser**. Mais pas

à **délai**, qui vient de l'ancien français *deslaier,* « différer ». [« On assurera le relais sans délai. »]

Évitez d'écrire : Stage ~~rénuméré~~.
Écrivez plutôt : Stage **rémunéré**.
Rémunérer et **rémunération** viennent du latin *munus,* « don ».

Évitez d'écrire : Ils se sont rend<u>us</u> compte de l'erreur.
Écrivez plutôt : Ils se sont **rendu compte** de l'erreur.
Participe passé invariable dans cette locution, le raisonnement – classique – étant : ils ont rendu quoi ? « compte », complément d'objet direct placé après = pas d'accord. À qui ? À **se**, mis pour **Ils**.

Évitez d'écrire : Rep<u>ai</u>res pour regagner le rep<u>è</u>re.
Écrivez plutôt : **Repères** pour regagner le **repaire**.
Le substantif **repère** – de l'ancien verbe *repadrer*, « revenir au point de départ », du latin *rapatriare*, « regagner la patrie », et qui a donné **repérer** – désigne effectivement ce qui sert à retrouver son **repaire** – de **repairer** (terme de vénerie encore en usage), également du bas latin *rapatriare*. Une même origine, donc, et deux sens qui, comme souvent, ont entraîné des graphies différentes.

Évitez d'écrire : Le syndic s'adresse aux résid<u>en</u>ts.
Écrivez plutôt : Le syndic s'adresse aux **résidants**.
Résidant = habitant d'un lieu, occupant d'une résidence. [« Emplacements réservés aux résidants. »]
Résident = diplomate en poste à l'étranger, ou simplement personne qui réside dans un pays dont elle n'est pas originaire ; membre résident d'une société savante, médecin résident.

Évitez d'écrire : Étranges ~~résonnances~~...
Écrivez plutôt : Étranges **résonances**...
Résonner, comme **sonner,** prend deux **n**, à la manière de la plupart des verbes en **-onner**, mais **résonance**, **assonance** et **dissonance** n'en ont qu'un.

Évitez d'écrire : Ces problèmes, on les ~~résoud~~.
Écrivez plutôt : Ces problèmes, on les **résout**.
Terminaisons des verbes en **-oudre,** tels **coudre** ou **moudre**, aux trois personnes du singulier de l'indicatif présent : (je) **...ouds,** (tu) **...ouds,** (il/elle) **...oud**. Font exception **résoudre, absoudre, dissoudre**, qui donnent **...ous, ...ous, ...out**. Dans le cas d'inversion du sujet : « Coud-elle ? », mais « Résout-elle ? ».

Écrivez (aussi bien) : La position **respective** – *ou* les positions **respectives** – des deux groupes...
Le pluriel semble quand même plus logique.

Écrivez (aussi bien) : Des policiers **ripoux** – *ou*
   ripous...

Le mot **ripou** (pour désigner un policier corrompu),
par transformation en verlan de **pourri**, a fait florès
avec **x** au pluriel à la suite de la sortie du film *les
Ripoux,* et c'est ainsi qu'on le voit le plus souvent écrit.
Ce pluriel aurait certes plutôt dû s'aligner sur la graphie générale des mots en **-ou** (avec **s**, comme **hindous**,
clous ou **écrous**), et non sur les exceptions **bijoux**,
cailloux, **choux**, **genoux**, **hiboux**, **joujoux**, **poux**...
Les dictionnaires, en tout cas, en sont réduits à admet-
tre le **x** et le **s**.

Évitez d'écrire : Plat du jour, ri<u>z</u> de veau.
Écrivez plutôt : Plat du jour, **ris** de veau.
On aimerait différencier ces deux mots par leur origine. Or, si l'on sait que **riz** (la graminée) vient du
grec *oruza*, par le latin *oryza* et l'italien *riso* (d'où
risotto), *le Petit Robert* déclare **ris** (thymus du veau,
de l'agneau ou du chevreau) d'origine inconnue.
Homonyme : ce **ris** (du scandinave **rif**) qui est
une bande horizontale des voiles de bateau.

Évitez d'écrire : Moteurs à <u>rô</u>der.
Écrivez plutôt : Moteurs à **roder**.
Roder (sans accent), de **ronger** : faire fonctionner
avec précaution une mécanique neuve pour que ses

pièces s'adaptent par une légère usure. Au figuré :
« roder un système... et être rodé à tout... ». **Rôder**
(avec accent), de **roue** (au XVIᵉ siècle, *rauder*) : errer,
tourner alentour, plutôt avec de mauvaises intentions.

S

Écrivez (c'est selon) : Le repos du **sabbat**... – *ou* du
    shabbat...

Il n'y a là de faute dans aucune des occurrences, mais
mieux vaut s'abstenir de faire coïncider l'orthographe
relative à ce repos rituel des juifs, consacré au culte,
avec celle du nom désignant l'assemblée nocturne de
sorcières où l'on invoquait le diable. On préférera
donc **shabbat** (mot hébreu francisé) dans un contexte
de religion ou de culture juives, ne serait-ce que
pour s'aligner sur la prononciation très générale du
mot.

Évitez d'écrire : Nous accédons ici au <u>sein</u> des
    saints...

Écrivez plutôt : Nous accédons ici au **saint des saints**...

Le **saint des saints** de quelque chose, c'est sa partie la plus secrète, la plus importante. À l'image du « saint des saints » qu'était la partie la plus sacrée du temple (juif) de Jérusalem, où se trouvait l'arche d'alliance et où ne pouvait pénétrer que le grand prêtre.

Évitez d'écrire : Salle de conférence au sous-sol.
Écrivez plutôt : **Salle de conférences** au sous-sol.
Salle de **bains**, de **conférences**, de **réunions**, de **concerts** mais d'**audience**, d'**opération** (en chirurgie), de **spectacle**, de **jeu** (au casino)/de **jeux** (jeux électroniques), comme « terrain de **jeux** ».

Écrivez (aussi bien) : Vente de **sandwichs** – *ou* de **sandwiches**.

Ne nous prenons pas la tête : la francisation, heureusement, est passée par là. Mais on peut préférer l'original à la copie...

Évitez d'écrire : Accueil des sans-abris.
Écrivez plutôt : Accueil des **sans-abri**.
Comme **sans-domicile-fixe**, **sans-abri** : c'est le fait de n'en avoir pas du tout qui est désigné. On écrit aussi, bien sûr, des **sans-cœur**, des **sans-emploi**, des

sans-grade, mais des **sans-papiers** (en règle générale, on a « des papiers »). Attention aux **sans-culottes** ! Là, le sens est différent : ils n'étaient pas sans rien sur les jambes ; simplement, ils portaient un vêtement qui n'était pas la culotte des aristocrates.

Évitez d'écrire : Ce sera sans amba<u>ge</u> et sans encombr<u>es</u>...
Écrivez plutôt : Ce sera **sans ambages** et **sans encombre**...
Ces deux locutions pour « Sans des détours inutiles et sans le moindre obstacle... ».

Évitez d'écrire : Un voyage sans bourse déli<u>ée</u>.
Écrivez plutôt : Un voyage **sans bourse délier**.
Forme inversée de « sans délier [*les cordons de*] sa bourse » = sans frais.

Évitez d'écrire : Des éditeurs sans é<u>gaux</u>...
Écrivez plutôt : Des éditeurs **sans égal**...
Traditionnellement, l'accord se fait au masculin singulier [« Un talent sans égal »], au féminin singulier [« Une réalisation sans égale »], au féminin pluriel [« Des réalisations sans égales », « Une réalisation et une production sans égales »] ; mais jamais au masculin pluriel, **égal** restant alors invariable [« Des dirigeants sans égal », « Une femme et un homme sans

égal »]. En fait, aujourd'hui, il est préférable d'appliquer l'invariabilité dans tous les cas. [« Une production sans égal », « Des réalisations sans égal ».]

De même, l'invariabilité convient bien, désormais, dans tous les cas, pour **N'avoir d'égal que**... [« Ces auteurs n'ont d'égal *(sans rien d'égal)* que leurs éditeurs. »] Obligatoirement invariable : **d'égal à égal**.

Évitez d'écrire : C'est une personne sans histoi<u>res</u>.
Écrivez plutôt : C'est une personne **sans histoire**.
Ce qui signifie que son passé n'est pas notoire. Nous sommes loin d'une « fille à histoires ».

Évitez d'écrire : Choix de vestes sans man<u>che</u>.
Écrivez plutôt : Choix de vestes **sans** manch**es**.
Ici, le bon raisonnement n'est pas de se dire que **sans** équivaut à **aucun**, et donc devrait induire le singulier, mais de considérer que **s'il y en avait,** il y en aurait forcément deux. Dans cette logique, on écrira : « Une personne sans parole », mais « Une histoire sans paroles » ; « Nous écrirons demain sans faute », mais « Nous rendrons une dictée sans fautes ».

Évitez d'écrire : Des glaces sans t<u>eint</u>...
Écrivez plutôt : Des glaces **sans tain**...
Ce mot, qui n'a rien à voir avec le **teint** du visage ou d'une étoffe, est tout simplement une altération

de **étain**, métal qui, avec le mercure, forme l'amalgame produisant l'étamage des glaces.

Évitez d'écrire : Aux enchères, « le Sapeur Camembert ».
Écrivez plutôt : Aux enchères, « le **Sapeur Camember** ».
Auteur : l'écrivain et dessinateur Christophe (de son vrai nom, Georges Colomb, 1856-1945). Il créa aussi les personnages de *la Famille Fenouillard*.

Évitez d'écrire : Ici, galettes et crêpes de ~~sarrazin~~.
Écrivez plutôt : Ici, galettes et crêpes de **sarrasin**.
Nom donné à cette céréale « à cause, dit *le Petit Robert*, de la couleur noire du grain », par référence aux **sarrasins** (nom des musulmans d'Orient, d'Afrique ou d'Espagne au Moyen Âge). [« L'invasion sarrasine... La flotte sarrasine en Méditerranée... »]

Évitez d'écrire : Sa_ty_re contre les sa_ti_res.
Écrivez plutôt : **Satire** contre les **satyres**.
Gardons-nous de prendre l'un pour l'autre. Le substantif **satyre** (du latin *satyrus*, divinité grecque à corps humain et à pieds de bouc) désigne, certes, un pervers sexuel, mais est aussi (au féminin) un terme spécialisé d'histoire de la littérature grecque pour l'une de ces « pièces mettant en scène des satyres ».

Contre celles-ci, comme contre les pervers, on a pu écrire des **satires** (du latin *satira*, « mélange »), ces écrits ou dessins – **satiriques** – visant à tourner en ridicule des personnes ou des comportements. [« La satire de Molière contre les médecins... »]

Évitez d'écrire : Au programme, suite de ~~scénettes~~.
Écrivez plutôt : Au programme, suite de **saynètes**.
La tentation est grande de croire que ce mot découlerait directement de **scène** ! Il n'en est rien : il vient « de l'espagnol *sainete*, diminutif de *sain,* "graisse" (*cf.* "farce") », nous dit *le Petit Robert*.

Écrivez (aussi bien) : Ici, remise des **scénarios** – *ou* des **scenarii**.
De l'italien *scenario*, « décor », du latin *scena*, « scène », ce nom est attesté en français depuis la fin du XVIIIᵉ siècle. C'est dire si son pluriel en **-ios** est légitime. Pourtant, on assiste aujourd'hui à une renaissance de l'emploi du mot italien dans les milieux du spectacle (théâtre notamment) et chez des critiques. Cela fait peut-être un peu précieux, mais pourquoi pas ? À condition toutefois de ne pas maintenir l'accent aigu.

Évitez d'écrire : Les scrip~~tes~~ ne seront pas retournés.
Écrivez plutôt : Les **scripts** ne seront pas retournés.

Un **script** (mot anglais, du latin *scriptum*, « écrit ») est un scénario de film. Alors qu'une **scripte** – francisation de *script-girl* – est une auxiliaire de réalisateur en cinéma ou en télévision, chargée de noter la totalité des détails technico-artistiques relatifs aux prises de vues.

Évitez d'écrire : Tout est <u>san</u>s dessus dessous.
Écrivez plutôt : Tout est **sens dessus dessous**.
Un endroit où règne un grand désordre conserve quand même un dessus et un dessous – donc pas question d'écrire « sans » –, mais ce qui était dessus se retrouve dessous, donc dans un mauvais **sens**. À l'oral, veiller à la prononciation : [sense], et non [san].

Évitez d'écrire : Il s'~~en est suivi~~ un dommage.
Écrivez plutôt : Il **s'est ensuivi** un dommage.
Le verbe pronominal **s'ensuivre** existe bel et bien [« Et tout ce qui s'en suit... »].

Évitez d'écrire : À leur retour, <u>scep</u>tiques, ces astronautes ?
Écrivez plutôt : À leur retour, **septiques**, ces astronautes ?
On voit mal pourquoi ces astronautes se seraient montrés incrédules... Simplement, lors des premiers retours de l'espace, les scientifiques craignaient que

les équipages des vaisseaux spatiaux ne fussent porteurs de germes inconnus sur Terre. De la même famille : **aseptique**, **antiseptique**.

Évitez d'écrire : Je ser<u>ai</u> heureux que vous veniez.
Écrivez plutôt : Je **serais** heureux que vous
       ven**iez**.
Ici, à la suite de **que**, le subjonctif (mode, entre autres, de l'hypothèse) dans la proposition subordonnée correspond au conditionnel de la principale. Après **serai** (futur), on écrirait « si vous ven**ez** ». [« Nous ser**ons** au courant si vous nous inform**ez** » ; « Nous ser**ions** au courant si vous nous inform**iez**.]

Évitez d'écrire : Si vous arrivez et que nous <u>sommes</u>
       partis...
Écrivez plutôt : **Si** vous arrivez **et que** nous so**yons**
       partis...
Dans une proposition où **que** prend la place d'un second **si** (car on pourrait écrire : « Si vous arrivez et si nous sommes partis... »), l'emploi du subjonctif s'impose.

Évitez d'écrire : Et s̶i̶ ̶i̶l̶ revenait...
Écrivez plutôt : Et **s'il** revenait...
Épargnons-nous un désagréable hiatus.

Évitez d'écrire : Résultat brillant s'il en f<u>û</u>t !
Écrivez plutôt : Résultat brillant **s'il en fut !**
Qui n'a jamais été tenté d'introduire dans cette locution verbale l'accent du subjonctif imparfait ? Or il ne s'agit que de la 3e personne du passé simple de l'indicatif. Preuve évidente en changeant de temps : « Résultat brillant s'il en est... s'il en était ». (Voir aussi, plus haut, **fu[û]t-ce**.)

Évitez d'écrire : <u>Du</u> silicone.
Écrivez plutôt : De l**a silicone**.
Féminin, ce nom générique pour les matières plastiques dérivées du silicium. On s'y trompe souvent.

Évitez d'écrire : Qui sont les soc<u>io</u>-démocrates ?
Écrivez plutôt : Qui sont les **sociaux-démocrates** ?
On ne confondra pas le pluriel **sociaux** (de « social, socialisme ») et l'élément **socio** (de « social, société »). [« Les sociaux-démocrates, comptant avec les contraintes socio-économiques du capitalisme, furent qualifiés par d'aucuns de "sociaux-traîtres". »]

Évitez d'écrire : De ~~soit disantes~~ bienfaitrices...
Écrivez plutôt : De **soi-disant** bienfaitrices...
Bien sûr, « soit », forme conjuguée du verbe **être**, n'a rien à voir ici. C'est le pronom personnel **soi** (« se ») et le participe présent, invariable, de **dire** qui

conviennent. Comme adjectif invariable, **soi-disant** est à réserver aux personnes (qui seules peuvent « se dire »). [« Les soi-disant champions et leurs préten-dues difficultés... »] Emploi comme adverbe : « Ils sont soi-disant arrivés. »

Évitez d'écrire : Pour solde de to~~us~~ comp~~tes.~~
Écrivez plutôt : Pour **solde de tout compte**.
Formule figée employée pour le paiement du reliquat d'un compte entre deux personnes. On écrit aussi au singulier, de préférence, **tout compte fait** et **règle-ment de compte**.

Évitez d'écrire : Le ~~solilaisse~~ est au menu.
Écrivez plutôt : Le **sot-l'y-laisse** est au menu.
Bernard Pivot a beaucoup fait parler dans les chau-mières, et écrire dans les gazettes, avec ce mot mer-veilleux de l'une de ses dictées. Un substantif qui désigne le morceau de chair très fine situé au-dessus du croupion dans une volaille, et si peu apparent que, a-t-on dit, « le sot l'y laisse » (donc ne le mange pas). D'où la forme lexicalisée **sot-l'y-laisse**, qui, depuis 1798, désigne (avec deux traits d'union) ce morceau.

Évitez d'écrire : Je ~~sous-signé~~, Laetitia Poulet [...], certifie...

Écrivez plutôt : Je **soussignée**, Laetitia Poulet [...],
    certifie...

On dit : « le soussigné », « la soussignée », « les
soussignés » ; aussi convient-il, dans un acte, une
attestation, une reconnaissance de dette, etc., de marquer l'accord en genre et en nombre avec la (les)
personne(s) représentée(s) par **je** (ou **nous**). Attention ! si **nous** est mis pour homme(s) et femme(s), le
masculin gouverne l'accord. [« Nous soussignés,
Valentine et Gaston Dupont, ... »]

Évitez d'écrire : ~~Steack~~ en promotion.
Écrivez plutôt : **Steak** en promotion.
Le **c**, remarqué sur de nombreuses étiquettes de bou-
cherie, n'a aucune justification dans ce mot, diminutif
de l'anglais *beefsteak,* « tranche de bœuf ». Peut-être
la confusion vient-elle de la francisation **bifteck**,
recommandée à la place de la forme anglaise. Une
autre francisation est reconnue : **biftèque**. Et l'abréviation familière **bif** se répand.

Évitez d'écrire : Recrutement de ~~stewarts~~.
Écrivez plutôt : Recrutement de **stewards**.
La terminaison de ce mot anglais pur sucre se fait
bien souvent, à l'oral en français, en [t]. D'où le
risque de mauvaise graphie.

Évitez d'écrire : Ce qui nous a stupé<u>faits</u>...

Écrivez plutôt : Ce qui nous a **stupéfiés**...

Certes, **stupéfait(e)** existe, mais seulement comme adjectif qualificatif, pas en tant que forme verbale, donc pas au participe passé (il n'y a pas de verbe « stupéfaire »). « Elle s'est dite stupéfaite de cette virtuosité qui a même stupéfié les plus critiques, et les stupéfie encore » (et non « ... les stupéfait encore »).

Évitez d'écrire : Elles se sont ~~succédées~~ à ce poste.

Écrivez plutôt : Elles se sont **succédé** à ce poste.

Nous voilà devant la faute d'accord du participe passé la plus répandue, jusque chez les fortiches en orthographe. Raisonnement : le verbe **succéder**, qui se conjugue avec l'auxiliaire **avoir**, est, comme **plaire** ou **nuire**, transitif indirect ; il ne peut pas induire un complément d'objet direct avec lequel s'accorder : « Ils ont succédé à leurs maîtres, et ils leur ont plu, puis déplu, puis nui. » Quand il devient pronominal – « Enfin, ils se sont succédé », règle d'accord comme avec **avoir** –, rien ne change. Donc, invariabilité constante.

Évitez d'écrire : Compte-rendu ~~succint~~.

Écrivez plutôt : Compte-rendu **succinct**.

Le **c** est souvent oublié dans cet adjectif qui vient du

verbe latin *succingere,* « retrousser » (*cingere* ayant donné **ceindre**).

Évitez d'écrire : Libérez-vous de la suggestion !
Écrivez plutôt : Libérez-vous de la **sujétion** !
Sujétion = état de dépendance, voire de soumission, qui fait de quelqu'un un **sujet**. Mais **suggestion** (de **suggérer**) = avis, conseil, donné à une personne, en principe pour son bien.

Évitez d'écrire : Partez sur le champ pour l'aventure.
Écrivez plutôt : Partez **sur-le-champ** pour l'aventure.
En français, quand des mots associés donnent naissance à un sens particulier dont ils ne sont pas a priori porteurs, ils prennent un ou des traits d'union. Ici, il ne s'agit pas de « partir » en se déplaçant « sur un champ », mais de s'en aller **sans délai**. (Voir aussi, plus haut, **petits[-]enfants**.)

Évitez d'écrire : Costumes sur mesures.
Écrivez plutôt : Costumes **sur mesure**.
Quand le singulier s'affiche à la devanture d'un magasin de vêtements – et cela arrive –, c'est que son propriétaire sait d'où vient cette **mesure** : à l'origine, c'était le papier où le tailleur marquait les cotes du vêtement à réaliser. Ce qui n'a jamais empêché

tous les habilleurs du monde de prendre les mesures de leurs clients, mais c'est autre chose.

Évitez d'écrire : Ces ~~symptomes~~ confirment le ~~syndrôme~~.

Écrivez plutôt : Ces **symptômes** confirment le **syndrome**.

Le substantif **symptôme** nous vient du grec *sump-tô*ma, et **syndrome**, *de sundr*omê. Voilà sans doute pourquoi le **o** du premier mot prend l'accent circonflexe, et pas celui du second...

Évitez d'écrire (et ne dites pas) : <u>Le</u> syrah, un vin à découvrir.

Écrivez plutôt (et dites) : L**a syrah**, un vin à découvrir.

Eh oui, féminin, le nom de ce cépage rouge des **côtes du Rhône** ! C'est d'ailleurs un **côtes-du-rhône** ! Noter les graphies différentes, pour ce dernier terme, entre la région géographique (espaces entre les mots, puis **R** majuscule) et l'appellation (traits d'union entre les mots, le **s** conservé au singulier, puis **r** minuscule). [Voir aussi, plus haut, **château-lafite**.]

t

Évitez d'écrire : Appliquez, la t**a**che s'en va !
Écrivez plutôt : Appliquez, la **tache** s'en va !
Faute remarquée dans des « pubs » à la vitrine de pressings (teintureries). Or, si un détachant enlève les taches, il ne dispense pas des tâches (ménagères).

Évitez d'écrire : Des projets un tant s**oi** pe**ut**
     intéressants...
Écrivez plutôt : Des projets un **tant soit peu**
     intéressants...
Un **tant soit peu** = si **peu** que ce **soit**... D'où : 1. le verbe **être** au présent du subjonctif, et non le pronom personnel **soi** ; 2. l'adverbe de quantité **peu**, et non le présent du verbe **pouvoir**.

Écrivez (c'est selon) : Cette **taule** – *ou* **tôle** – et le
　　taulier – *ou* **tôlier** – concerné.

Il n'y a pas de faute à employer, familièrement, l'une
ou l'autre graphie dans l'acception pénitentiaire du
mot. Pas plus qu'à propos d'un patron ou d'un propriétaire d'hôtel douteux. Mais, si des **taulards** (*ou*
tôlards) sont en **taule** (*ou* en **tôle**), en compagnie
d'anciens **tauliers** (ou **tôliers**), les **tôliers** qui travaill-
lent la **tôle**, eux, n'ont le droit, comme le métal, qu'à **ô**.

Évitez d'écrire : Des romans t<u>el</u> que ce prix
　　Goncourt...
Écrivez plutôt : Des romans **tels que** ce prix
　　Goncourt.

Dans la locution **tel que**, **tel** s'accorde avec le nom qui
précède et auquel on renvoie. Employé seul, ce même
tel s'accorde avec le nom ou le pronom qui le suit.
[« Des pays moyens, telle la France... »] Méfions-nous
du barbarisme « tel que » pour **tel quel**. [« Voici ses
paroles telles quelles. »] Avec **en tant que tel**, l'accord
s'impose. [« Des actrices en tant que telles... »]

Évitez d'écrire : Cultivons la ~~tenacité~~.
Écrivez plutôt : Cultivons la **ténacité**.

Cet accent aigu s'est invité au XVIIIᵉ siècle. Auparavant, on écrivait *tenacité* comme **tenace**. Plus logiquement, on a **ténu** et **ténuité**.

Évitez d'écrire : De profo<u>nds</u> ténèbres...
Écrivez plutôt : De profond**es ténèbres**...
Ce nom ne s'emploie au singulier que dans le style élevé. [« L'immuable ténèbre... »]

Évitez d'écrire : U<u>ne</u> termite.
Écrivez plutôt : U**n termite**.
Les termites sont donc envahissan**ts**.

Évitez d'écrire : « Un ti<u>en</u> vaut mieux que deux tu
    l'auras. »
Écrivez plutôt : « Un **tiens** vaut mieux que deux tu
    l'auras. »
Dans ce proverbe fameux et bien ancien, ce qui est comparé, ce sont deux formes verbales substantivées, pour dire, en clair : « Ce que tu peux obtenir dès aujourd'hui est préférable à ce que tu peux espérer pour demain. » Le pronom possessif substantivé **tien** n'aurait donc pas de sens ici.

Évitez d'écrire : Pourquoi ne pas tirer au f<u>lan</u> ?
Écrivez plutôt : Pourquoi ne pas **tirer au flanc** ?
Flanc = côté [« être sur le flanc... couché sur le flanc »]. La locution **tirer au flanc** définit ce que fait un **tire-au-flanc** : à l'origine, combattant qui, dans une bataille, abandonne le front pour se porter sur le flanc – sur une partie latérale – de l'armée, et donc

échapper au gros du danger. Par extension, c'est « échapper à une corvée », et même « fuir le travail ». Par ailleurs, on écrit « **à flanc** de montagne ». (Voir aussi, plus haut, **au flan**.)

Évitez d'écrire : Toi qui, depuis longtemps, avec d'autres, l'<u>a</u> voulu...

Écrivez plutôt : **Toi qui**, depuis longtemps, avec d'autres, l'**as** voulu...

Il n'est pas rare de voir le pronom relatif **qui**, comme sujet, entraîner un accord fautif à la 3e personne du présent de l'indicatif, alors que son antécédent est, comme ici, à la 2e. Cela se produit, notamment au vocatif, avec **avoir**, **pouvoir** et **vouloir**. [« Toi, mon fils, qui déjà, et pour longtemps, ~~peut~~/**peux** bâtir... » ; « Ami qui ~~vient~~/**viens** à nous... »]

Évitez d'écrire : Toi, eux et moi y parviendr<u>ont</u>.

Écrivez plutôt : **Toi**, **eux** et **moi** y parviendr**ons**.

Pour bien accorder le verbe à la suite de pronoms personnels sujets (singuliers ou pluriels), il faut se rappeler que la première personne (**je** ou **nous**) l'emporte sur les deux autres, et la deuxième (**toi** ou **vous**) sur la troisième (**il/elle, lui, eux/elles**). [« Elles, eux et vous parti**rez** ensemble » ; « Vous, nous, et lui aussi, se**rons** prêts ».]

Évitez d'écrire : Une affaire à tomber dans le l<u>ac</u>.
Écrivez plutôt : Une affaire à **tomber dans le lacs**.
Certes, un projet sans suite ou une affaire qui a échoué
sont dans le **lac** (tombés à l'eau), mais, au sens figuré,
quelqu'un à qui l'on a tendu un piège tombe – puis se
retrouve – dans le **lacs** (de **lacet**, nœud coulant utilisé
pour la capture d'un oiseau, d'un lièvre, etc.).

Évitez d'écrire : La nation tou<u>te</u> entière y aspire.
Écrivez plutôt : La nation **tout** entière y aspire.
Devant un adjectif qualificatif qu'il modifie, **tout**
– signifiant alors « entièrement », « tout à fait » – est
adverbe, donc invariable par nature. Cependant, pour
raison d'euphonie, il prendra la marque du pluriel si
cet adjectif commence par une consonne (ou un **h**
aspiré). [« Tou*t* habituée *(h muet)* et tou*t* intéressée
qu'elle soit, la voici soudain tou*te* bouleversée et
tou*te* handicapée *(h aspiré).* »] Devant un nom ou un
pronom démonstratif (**ceux/celles**) auquel il se rapporte, **tout**, alors adjectif indéfini, s'accorde norma-
lement. [« Tous les candidats sont prêts, et toute
vérité est bonne à leur dire. »] Comme pronom indéfini, **tout** prend le genre et le nombre du nom (ou
pronom) dont il tient la place. [« Quant aux idéolo-
gies, toutes paraissent mortelles. »] Attention au sens
avec **en** ! [« Des femmes tout – *ou* toutes – en larmes... »] Sont-elles complètement en larmes ou sans

exception en larmes ? Enfin, **tout** peut être substantif : [« Des touts et des riens ».]

La locution **tout autre** s'accorde si elle a le sens de **n'importe quel(s/le/les)** – valeur adjectivale –, mais elle ne varie pas si son sens est **tout à fait** – valeur adverbiale. [« Toute autre résolution serait associée à une tout autre conception. »]

Évitez d'écrire : Nous avons été tou~~te~~ ~~ouie~~.
Écrivez plutôt : Nous avons été **tout ouïe**.
D'abord, ne pas oublier le **ï**. Ensuite, bien reconnaître à **tout** (« tout à fait ») sa nature d'adverbe, donc son invariabilité, devant **ouïe** (sens de l'audition). Attention ! pluriel pour « (Je suis) **tout oreilles** » (deux organes)... Par ailleurs, on écrit « des **ouï-dire** » (nom invariable) / « Nous le savons **par ouï-dire** » et « des **on-dit** » (également invariable), contrairement à « des **non-dits** ».

Évitez d'écrire : Direction Val-de-Neige, tout ~~shuss~~ !
Écrivez plutôt : Direction Val-de-Neige, **tout schuss** !
Ce terme de ski, qui signifie « descendre en ligne droite » et qu'on emploie facilement au sens figuré, vient de l'allemand, et non de l'anglais. Le son [che] germanique s'écrit [sch] ; anglais [sh] ; français [ch].

Écrivez (singulier et pluriel) : **Toute sorte** de
  bonheur pour **toutes sortes** de gens.

Pour ne pas atermoyer sur l'emploi du singulier ou du pluriel avec la locution **toute(s) sorte(s) de**, le mieux est de considérer que c'est le complément déterminatif de **sorte** qui, selon qu'il se trouve lui-même au singulier ou au pluriel, induit l'un ou l'autre. L'usage hésite davantage sur **de toute(s) sorte(s)** et **de toute(s) espèce(s)**. [« Des gens de toute sorte... » ; « des insectes de toutes espèces... ».]

Évitez d'écrire : Le ~~traffic~~ est perturbé.
Écrivez plutôt : Le **trafic** est perturbé.
Deux **f**... mais en anglais ! C'est donc cette langue qui est restée le plus fidèle à l'italien *traffico*.

Évitez d'écrire : ~~Tryptique~~ en restauration.
Écrivez plutôt : **Triptyque** en restauration.
Faute fréquente, même sur des sites d'art... **Triptyque** vient du grec *triptukhos*, « plié en trois », d'où la place du **y**, qui en français rend le υ (upsilon) grec. On écrit également, bien sûr, **diptyque** (« deux »). Puis **polyptyque** (*poly-*, du grec *polus*, « plusieurs »).

Écrivez (aussi bien) : Réalisé avec **trucage** – *ou*
  truquage.

Pour donner ce nom, **truc** et **truquer** ont rivalisé. Résultat : deux orthographes possibles. Alors que **blocage**, qui dérive pourtant directement de **bloquer,** s'est fait sur **bloc**. Mais **déchoquage** (en médecine) sur **déchoquer,** et non sur « choc ».

U - V

Évitez d'écrire : C'est l'un de ceux qui écrit le mieux.

Écrivez plutôt : C'est l'**un de ceux qui** écrivent le mieux.

Pour bien accorder un verbe après **un de ceux**..., il ne faut pas se tromper sur l'antécédent de **qui**, sujet du verbe. Ici, c'est bien **ceux**, et non **un** (un parmi ceux qui écrivent le mieux).

Évitez d'écrire : Un urticaire.

Écrivez plutôt : U**ne urticaire**.

Bien des gens croient ce nom masculin, et donc sont amenés à dire « Un urticaire géant ». Il n'en est rien : du latin *urtica*, « ortie », il est féminin.

Évitez d'écrire : Quel ~~va-t-être~~ le résultat ?
Écrivez plutôt : Quel **va** être le résultat ?
Peu de gens, certes, écriraient « Il va » avec un **t**. Pourtant, de plus en plus d'utilisateurs de micros font une liaison « mal-*t*-à propos » en assenant des « Quel va *t*-être... ? » ou des « Qui va *t*-avoir... ? ». Est-ce vraiment parce que la conjugaison du verbe **aller** au présent de l'indicatif leur est inconnue ? On ne peut le croire. En tout cas, on a déjà pu remarquer l'application graphique de ce barbarisme !

Évitez d'écrire : Va ! Et ~~va-z-y~~ vite !
Écrivez plutôt : Va ! Et **vas-y** vite !
Le **-z-** serait une altération grave de la conjugaison. Comme avec les verbes du 1er groupe (voir, plus haut, **Donnes-en**), c'est en ajoutant un **s** à cette forme de l'impératif du verbe **aller** que l'on obtient l'euphonie voulue avec le **y** (adverbe ou pronom personnel).

Évitez d'écrire : ~~Va-t-en~~ avec ces ~~va-t'en guerre~~ !
Écrivez plutôt : **Va-t'en** avec ces **va-t-en-guerre** !
Ne pas confondre **-t'**, élision du pronom personnel **te/toi**, qui nous épargne ici « Va-toi-en », et le **-*t*-** euphonique, qui ne remplit aucune fonction grammaticale, de **va-t-en-guerre**, nom composé invariable avec traits d'union, forme lexicalisée des mots **va en guerre**.

Évitez d'écrire : Venez-vous divertir.
Écrivez plutôt : **Venez vous** divertir.
Certes, entre une forme conjuguée d'un verbe et le pronom personnel en ordre inversé, il faut un trait d'union [« Retrouvons-**n**ous, saluons-**n**ous et accueillons-**l**es »], mais si ce pronom devient complément d'objet direct d'un verbe qui le suit, alors le trait d'union disparaît. Logique : ici, l'idée, c'est « Venez divertir vous-mêmes ». À la forme interrogative, mêmes mots, autre sens : **Venez-vous divertir ?** (sous-entendu, « un public »). Le trait d'union se retrouve.

Évitez d'écrire : Peut-être ~~viverions~~-nous mieux si...
Écrivez plutôt : Peut-être **vivrions**-nous mieux si...
Ce barbarisme de haut vol, comme si le verbe « viver » existait, se répand à l'écrit, induit par la faute à l'oral, entendue jusque sur les meilleures ondes. Il est à rapprocher, à cette forme du conditionnel, de « nous concluerions » pour **nous conclurions**, sauf qu'avec **conclure** la faute ne heurte pas l'oreille.

Évitez d'écrire : Est-il possible que l'on se voit ?
Écrivez plutôt : Est-il possible que l'on se **voie** ?
Le subjonctif passe trop facilement à la trappe dans notre écriture. Il faut se rappeler le bon vieux moyen

scolaire du remplacement du verbe en cause par un autre verbe qui laisse percevoir à l'oreille la différence entre indicatif et subjonctif : « Est-il possible que l'on y ~~va~~/**aille** ? » Attention, surtout, à des propositions comme « Si nous sortons et qu'elle nous ~~voit~~/**voie**... ». Même remarque pour, par exemple, les verbes **rire** et **sourire**. [« Il fallait qu'elle sourie ? Alors, elle sourit. »] (Voir, plus haut, **si... et que**.)

Évitez d'écrire : Ce sera ici même, vo<u>ir</u> à côté.
Écrivez plutôt : Ce sera ici même, **voire** à côté.
L'adverbe **voire**, du latin *vera*, « choses vraies », sert, comme ici, à marquer l'atténuation. Il peut aussi renchérir, comme dans « C'est un homme courageux, voire un héros ». On le rencontre encore dans des phrases comme « Viendra-t-il ? – Voire *(Peut-être)* ». À noter que peu de linguistes considèrent aujourd'hui **voire même** comme un pléonasme.

Évitez d'écrire : Travaux de ~~voierie~~.
Écrivez plutôt : Travaux de **voirie**.
Voirie, comme **plaidoirie** : sans **e** superflu ! (Voir aussi, plus haut, **atermoiement**.)

Évitez d'écrire : Attention ! liquides volat<u>ile</u>s...
Écrivez plutôt : Attention ! liquides **volatils**...
La graphie du substantif masculin **volatile** (de

l'ancien français *volatilie),* adaptée à la désignation de tel ou tel oiseau de basse-cour, ne doit évidemment pas être confondue avec celle de l'adjectif **volatil,** « qui vole » (du latin *volatilis*). Celui-ci, comme **subtil,** ne prend un **e** que s'il est accordé au féminin. [« Des produits volatils pour une composition volatile. »]

Évitez d'écrire : On admirera les ~~voutes~~ du ~~cloitre~~.
Écrivez plutôt : On admirera les **voûtes** du **cloître**.
Il y a souvent de quoi hésiter, pour un certain nombre de mots, sur la présence ou non de l'accent circonflexe. Opposons au moins sa présence dans « Les voûtes du cloître » à son absence dans « Des zones de coteaux ».

Évitez d'écrire : Ces personnalités qu'on a <u>vu</u>
      s'affronter...
Écrivez mieux : Ces personnalités qu'on a **vues**
      s'affronter...
Ciblons le complément d'objet direct pour déterminer s'il y a accord ou non de ce participe passé devant un infinitif. Ici, on a vu qui ? Réponse : **ces personnalités...** en train de s'affronter (COD placé avant = accord). À l'inverse : « Les paroles qu'on a ~~entendues~~/**entendu** proférer par ces personnalités. » On a entendu quoi ? Réponse : **proférer...** des paroles

(COD placé après = pas d'accord) – c'est **paroles** qui est le COD de **proférer** (on ne peut évidemment pas entendre des paroles qui profèrent). Comme quoi, l'accord du participe, c'est d'abord du sens. On consultera avec grand profit, dans cette collection « Dicos d'or », *Accordez vos participes*, de Micheline Sommant.

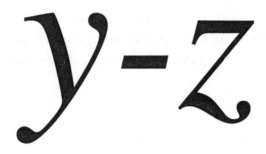

Écrivez (aussi bien) : Le **yaourt** – *ou* **yogourt** – *ou*
yoghourt –, aliment de choix !
Ces trois graphies sont licites pour ce mot issu du
turc, mais faisons simple : **yaourt**.

Évitez d'écrire : ~~Y-a-t'il~~ autre chose ?
Écrivez plutôt : **Y a-t-il** autre chose ?
Y a-t-il n'a besoin que de deux traits d'union autour
de ce **t** sans fonction, placé là uniquement pour raison
d'euphonie, comme dans « Chante-t-on ? ».

Évitez d'écrire : Au ~~zénit~~ de la gloire...
Écrivez plutôt : Au **zénith** de la gloire...

Le **h** souvent mis fautivement à la fin de **azimut** ne doit pas manquer à **zénith**.

Évitez d'écrire : Votre petit noir au ~~zingue~~...
Écrivez plutôt : Votre petit noir au **zinc**...
De l'allemand *Zinc*, ce mot, relatif aussi bien à la couverture des toits qu'aux comptoirs traditionnels des bistrots, a donné – pour l'euphonie – **zingage** et **zingueur**.

Évitez d'écrire : Être sur ~~zône~~...
Écrivez plutôt : Être sur **zone**...
Venu pourtant du grec *zônê*, « ceinture », mais au travers du latin *zona*, ce mot, en français, demeure sans accent, malgré sa prononciation, en l'occurrence trompeuse pour l'écrit – tout comme ses dérivés **zoner**, **zonal**, **zonard**, **zona**... Dans le même genre, on trouve **gone** (dans la région lyonnaise, « jeune enfant »).

Dans la même collection

Évitez de dire... Dites plutôt...
par Bernard Laygues

Testez votre français
par le jury des Dicos d'or

Devenez un champion en orthographe
par Micheline Sommant et le jury des Dicos d'or

L'orthographe, c'est logique !
par Jean-Pierre Colignon

Évitez le franglais, parlez français
par Yves Laroche-Claire

Accordez vos participes !
par Micheline Sommant

Étonnantes étymologies
par Jean-Pierre Colignon

Composition IGS
Impression BCI août 2004
Editions Albin Michel
22, rue Huyghens, 75014 Paris
www.albin-michel.fr
ISBN 2-226-14381-5
N° d'édition : 21936. – N° d'impression : 043158/4.
Dépôt légal : septembre 2004.
Imprimé en France.